BASTEI
LUBBE

Willy Breinholst

Hallo – hier bin ich!

Ins Deutsche übertragen
von Isabella Nadolny

BASTEI-LÜBBE-TASCHENBUCH
Band 60024

1. Auflage Sept. 1980
2. Auflage Dez. 1980
3. Auflage Jan. 1981
4. Auflage März 1981
5. Auflage April 1981
6. Auflage Mai 1981
7. Auflage Juni 1981
8. Auflage Juli 1981
9. Auflage Aug. 1981
10. Auflage Okt. 1981
11. Auflage Nov. 1981
12. Auflage Febr. 1982
13. Auflage März 1982

Deutsche Erstveröffentlichung

Lizenzausgabe: Gustav Lübbe Verlag GmbH,
Bergisch Gladbach
Printed in Western Germany 1982
Einbandgestaltung: Ralph Rudolph unter Verwendung
einer Illustration von Mogens Remo
Illustrationen: Mogens Remo
Gesamtherstellung: Ebner Ulm
ISBN 3-404-60024-x

Der Preis dieses Bandes versteht sich einschließlich
der gesetzlichen Mehrwertsteuer

In glücklichen Umständen

Seit Urzeiten herrscht über den Begriff »Empfängnis« und den Geburtsvorgang Uneinigkeit. Wie wir alle wissen, wurde Jesus von Nazareth vom Heiligen Geist empfangen und von der Jungfrau Maria geboren. Zeus ging schwanger mit Athene. Als während der Geburtswehen die Austreibungsperiode begann, griff der Gott der Schmiede, Hephästos, zur Axt und spaltete mit wohlgezieltem Kaiserschnitt den Schädel des Zeus – und hervor sprang eine vollständig entwickelte Athene. Leukomedon wurde von einem Vulkan geboren, dem Ätna auf Sizilien. Der Philosoph Peresilis hat selbst berichtet, er sei einem Erdhügel entsprungen, auf den ein Priester versehentlich einen Tropfen Weihwasser verschüttet hatte. Odin hatte mit der Erde einen Sohn namens Thor, und Huitzilopochtli, der Kriegsgott der alten Azteken, wurde von einem Federball, den seine Mutter an der Brust trug, empfangen und geboren. So bemerkenswert dies alles ist: das Allerphantastischste, Unglaubhafteste und Erstaunlichste an Empfängnis und Geburt, was man bis heute kennt, wird in diesem Bändchen geschildert. Ob Sie es glauben oder nicht: *Das* meint man, wenn von »anderen Umständen« die Rede ist ...

Wohnung zu vermieten

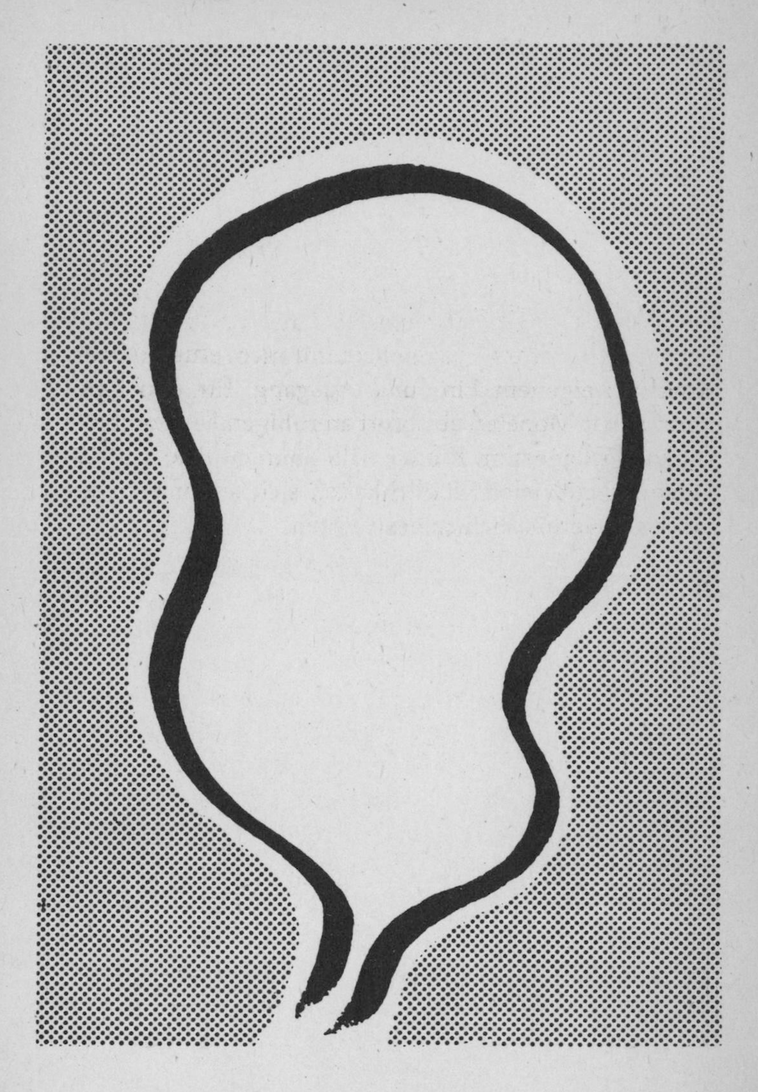

Hübsches, bequemes, luxuriös ausgestattetes Einzimmerappartement, gut isoliert, mit allem erdenklichen Komfort, eigenem Ein- und Ausgang, für den Zeitraum von 9 Monaten ab sofort an ruhigen Mieter abzugeben; Vollpension, Kinder willkommen, eine Traumwohnung mit vielen Möglichkeiten, sich einzunisten. Jederzeit unverbindlich zu besichtigen.

Darf ich hier wohnen?

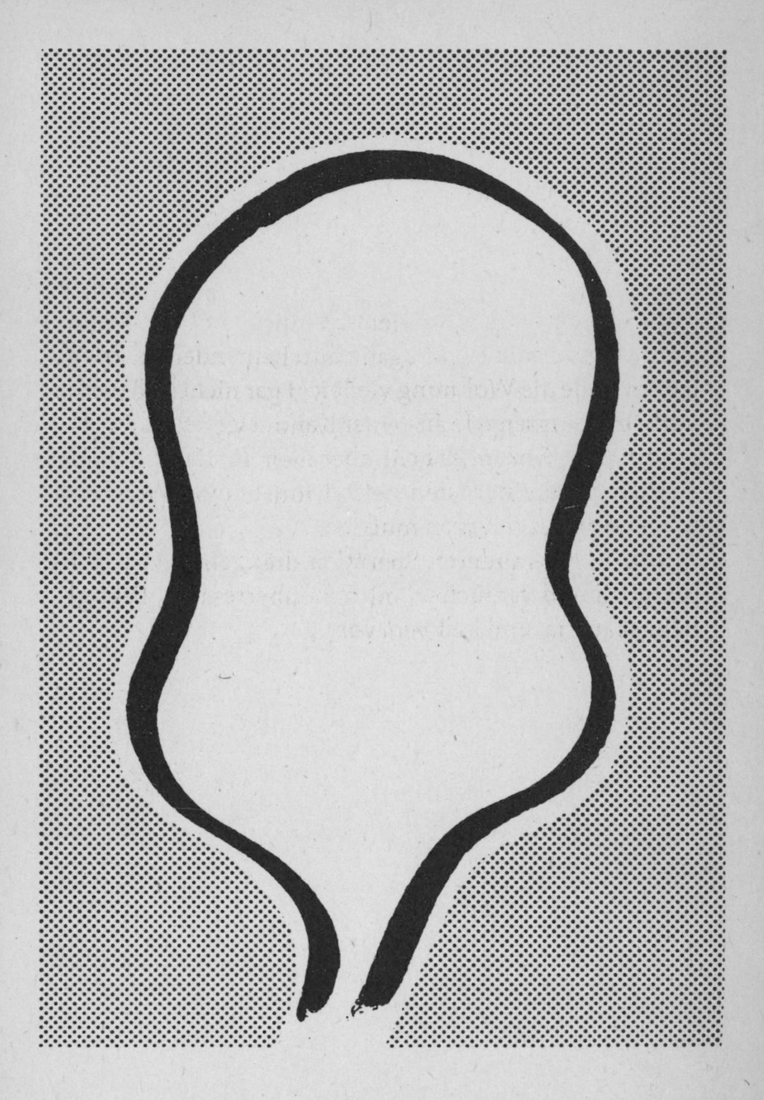

Moment mal! Was geht hier eigentlich vor? Ich komme da nicht ganz mit. Ich bin ganz durcheinander. Ja, kriege ich am Ende die Wohnung vielleicht gar nicht? Ich werde vorwärtsgerissen wie aus einer Kanone gefeuert. Ich begreife nicht, worum es geht, aber mein Instinkt sagt mir, daß ich für die nächsten neun Monate eine Wohnung brauche, und deswegen muß ich ...

HILFE! Alle anderen Spermien drängeln und schubsen mich und versuchen, mich zu überrennen. Paßt gefälligst auf, ja, und laßt *mich* vor ...

Könnt Ihr mich sehen?

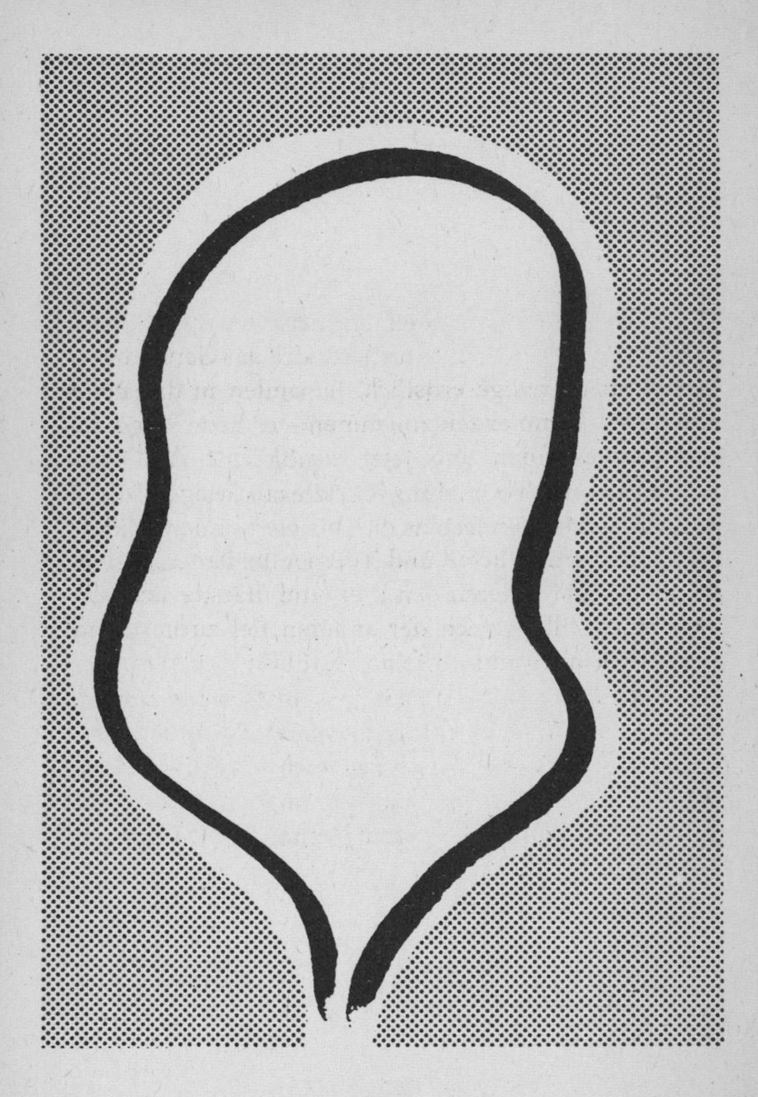

Du meine Güte, ist das hier ein Getümmel! Die Sache war die, verstehen Sie: Kaum hatte sich das Gerücht verbreitet, man erwöge ernstlich, jemanden in das nette Wohnschlafzimmer reinzunehmen – es hatte lange genug leergestanden und jetzt ermöglichte die Wirtschaftslage eine Vermietung –, setzte ein riesiger Zulauf ein. Wir waren mindestens drei bis vierhundert Millionen potentieller Mieter, und jeder wollte der erste sein, verstellte dem anderen den Weg und drängte sich vor, aber eine Million nach der anderen fiel zurück, und schließlich blieb nur ein einziger übrig, der Winzling ICH. (Wenn Sie mich sehen wollen, müssen Sie sich ein Elektronenmikroskop besorgen, denn ich bin noch sehr, sehr klein.) Jetzt brauche ich nur noch mit der Hausverwaltung Kontakt aufzunehmen, dann wird, wie ich annehme, das mit dem Mietvertrag schon in Ordnung gehen ...

Könnt Ihr mich jetzt sehen?

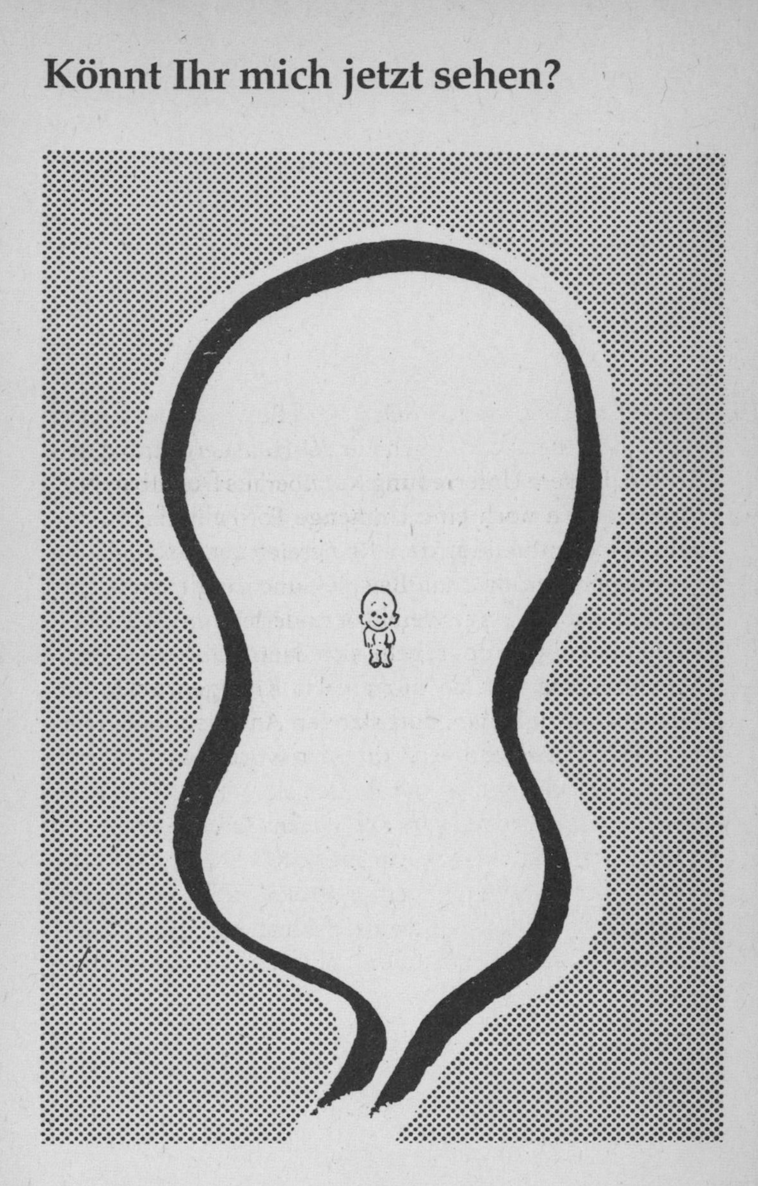

Der Mietvertrag ist unter Dach und Fach. Vor zirka vier, fünf Wochen habe ich mich mit der Hausverwaltung getroffen. Unsere Unterredung war überaus fruchtbar. Natürlich waren noch eine Unmenge Formalitäten zu regeln, um eventuelle spätere Reibereien auszuschließen, Doppelvermietung zum Beispiel, und dergleichen; außerdem war die Frage weiblicher oder männlicher Mieter zu klären, aber das regelte sich dann ganz von selbst. Man brauchte sich da nur an das Kleingedruckte im Mietvertrag zu halten, dort standen Anweisungen über X- und Y-Chromosomen; aber das würde hier zu weit führen. Jedenfalls ist das Problem gelöst. Wie Sie sehen, bin ich bereits eingezogen. Die Wohnung ist äußerst gemütlich, nur viel zu groß für mich. Keine Ahnung, was ich mit dem vielen Platz anfangen soll. Schließlich und endlich bin ich nur acht, neun Millimeter groß, und dabei muß ich schon mogeln und mich auf die Zehen stellen.

Ich werde langsam Ich!

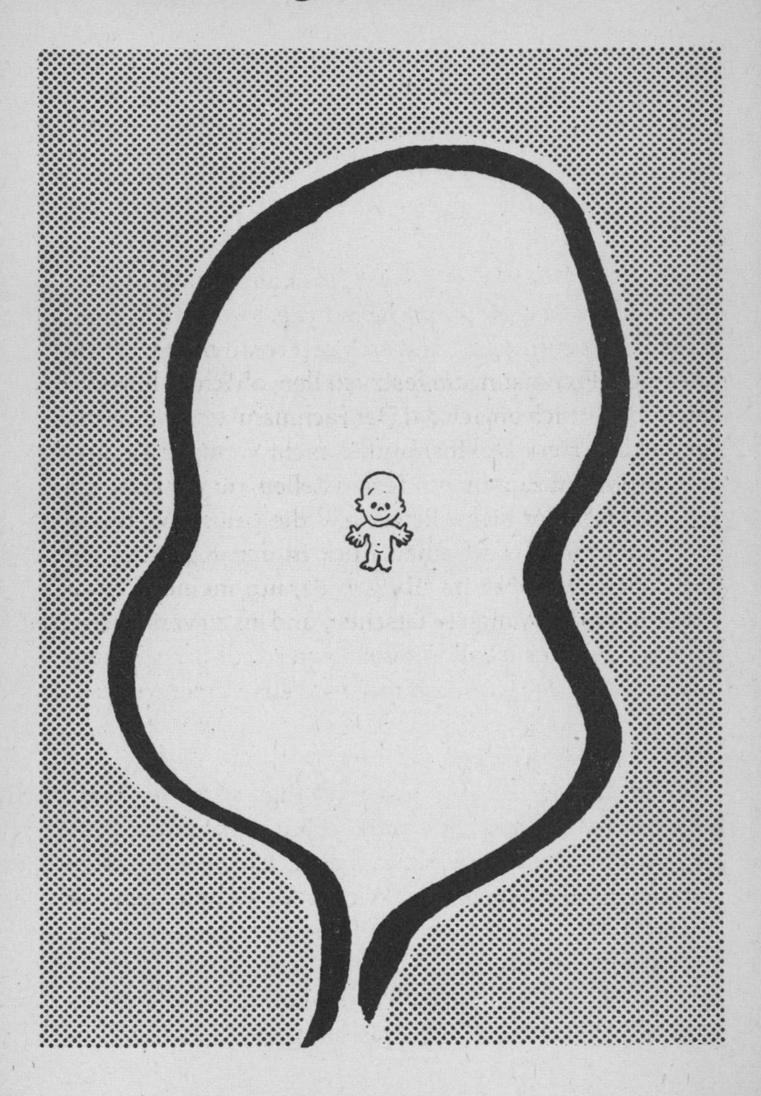

Manche Leute sind schon wirklich komisch. Da wohne ich nun bereits einen guten Monat hier und bin vollkommen legal eingezogen, und erst jetzt rennt meine Wirtin zu einem Fachmann, um festzustellen, ob ich da bin oder nicht! Natürlich bin ich da! Der Fachmann (meine Wirtin nennt ihn Herr Doktor) mußte nicht weniger als drei Blutproben abzapfen, um festzustellen, ob jemand vorhanden ist oder nicht. Er vermaß die ganze Wohnung von außen und warf einen Blick in den Korridor, beschränkte sich aber im übrigen darauf, meiner Wirtin freundlich die Wange zu tätscheln und ihr zu versichern: Meine Liebe, es ist alles in schönster Ordnung, freuen Sie sich, in Ihre kleine Wohnung ist ein Mieter eingezogen.

Womit er MICH meinte.

Nun habe ich also auch die Bestätigung eines Experten, daß ich ein Recht auf die Wohnung habe: Sie steht mir zu. Na, das wußte ich ja längst. Übrigens weiß es jetzt auch der Mann meiner Wirtin. Als sie heimkam, hat meine Wirtin sich ihm an den Hals geworfen und beide waren vor Freude ganz aus dem Häuschen. Sie hatten die Wohnung nämlich noch nie vermietet; daher wissen sie vermutlich nicht, worauf sie sich eingelassen haben!

Meine Mami nenne ich Mami!

Ich habe einen wichtigen Entschluß gefaßt. Ich werde meine Vermieterin nicht mehr meine Wirtin nennen, sondern Mami. Ich habe mir das gut überlegt. Anfangs wußte ich nicht recht, ob ich sie Mami oder Papi nennen soll, aber irgendwie scheint es mir richtiger, sie Mami zu nennen, denn eben das ist sie, meine Mami, daran besteht kein Zweifel, und deshalb soll sie von jetzt ab auch so heißen. Meinen Papi werde ich Papi nennen, weil er mein Papi ist, obwohl ich ihn eigentlich weniger kenne, als ich schon jetzt meine Mami kenne. Sie können mich darin vielleicht nicht ganz verstehen, vielleicht versteht sogar die Mami mich nicht ganz, und vielleicht verstehe ich mich selbst nicht. Ich bin noch so winzig klein und muß bei Inkrafttreten des Mietverhältnisses eine Menge herauskriegen. Richtig zu Hause fühle ich mich noch nicht ganz, aber soviel weiß ich immerhin:

Mami ist MAMI.

Wer klopft da?

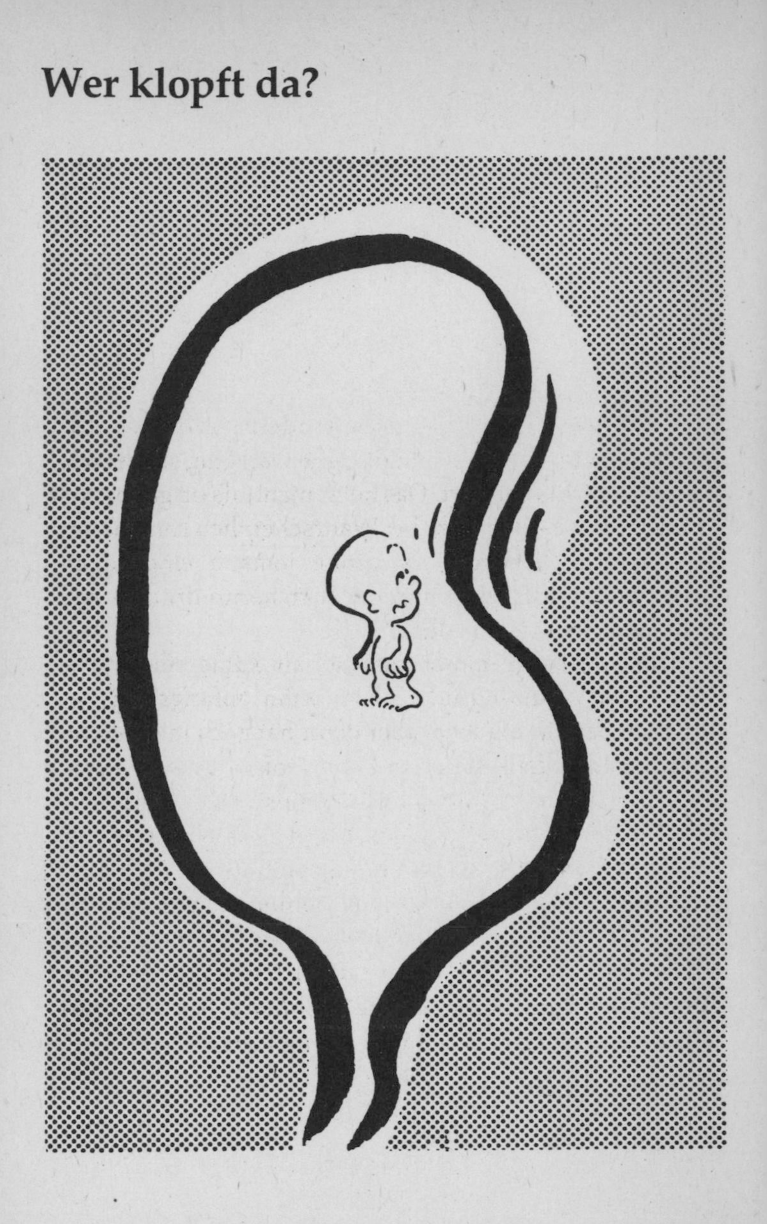

Mit der Mami ist es irgendwie sonderbar. Ganz zu Anfang, als ich gerade erst eingezogen war, ging sie herum, als wäre nichts passiert. Das heißt nicht, als ob gar nichts passiert wäre – nur beinahe. Wahrscheinlich kam ihr der undeutliche Verdacht, es könne jemand eingezogen sein, weil sie immer auf ihrem Bauch herumdrückte, wie um herauszukriegen, ob . . .

Mir war dann immer zumute, als käme eine ganze Wand der Wohnung auf mich herunter, anfangs ängstigte mich das ein bißchen, aber dann habe ich mich daran gewöhnt. Und als sie dann beim Doktor gewesen war und der gesagt hatte, alles sei in schönster Ordnung, und ich sei tatsächlich eingezogen, stand sie den ganzen Tag vor dem Spiegel. Und zwar immer seitwärts.

Seitwärts! Hat sie denn angenommen, ich würde mich so schnell wie möglich auf eine meiner Wohnungswände stürzen und sie ausbeulen? Ich? Ich mach' doch keine Beule in meine hübsche kleine Wohnung. Gar nicht nötig, danke. Ich hab' ja mehr als genug Platz.

Du, jetzt wiege ich 3 Gramm!

Wissen Sie, was ich glaube? Ich glaube, es wird während meines Aufenthalts hier eine Masse Probleme mit der Mami geben. Kaum bewege ich mich, schon wird ihr schlecht und dann weint sie. Und fünf Minuten später tanzt sie schon wieder vor lauter Freude im Zimmer herum. Und dann wird ihr wieder schlecht, und sie weint wieder, und ich kann mich auf nichts Vernünftiges konzentrieren. Ich halte sie für sehr labil. Im Ernst. Und ohne jeden Grund. Ich sitze doch ganz ruhig da und kümmere mich um meine eigenen Angelegenheiten, warum kann sie das nicht auch tun? Wahrscheinlich hat der Papi ganz recht, wenn er ihr immer wieder sagt: »Du liebe Zeit, Liebling, nimm es doch nicht so tragisch. Du bist nicht die erste, die mit einem solchen Winzling herumläuft.«

Was heißt hier Winzling! Ich bin bald 5 cm lang und wiege 3 Gramm. In nur zwei Monaten habe ich mein Gewicht vermillionenfacht. Nicht übel, was!

Hört mal . . . Mein Herz klopft!

Psssst! Seien Sie doch bitte mal einen Augenblick still. Jetzt horchen Sie mal ganz genau hin. Hören Sie etwas? Es ist was ganz Phantastisches. Wenn die Mami ganz ruhig ist und ich ganz ruhig bin und alle Welt ganz ruhig ist, höre ich mein Herz klopfen! Ich habe überhaupt nicht gewußt, daß ich ein Herz habe, bis ich plötzlich was klopfen hörte. Zum Kuckuck, dachte ich bei mir, was ist denn das, da klopft doch was? Und wie ich genauer hinhöre, merke ich, daß das Klopfen von meinem eigenen Herzen kommt. Ein Kerlchen mit einem eigenen kleinen Herzen. Phantastisch, was?

Kerlchen? Tja, bin ich nun Mann oder Frau, Junge oder Mädchen? Das muß ich rauskriegen.

Es ist nämlich nicht dasselbe, wissen Sie.

Hi, hi, ich kann strampeln!

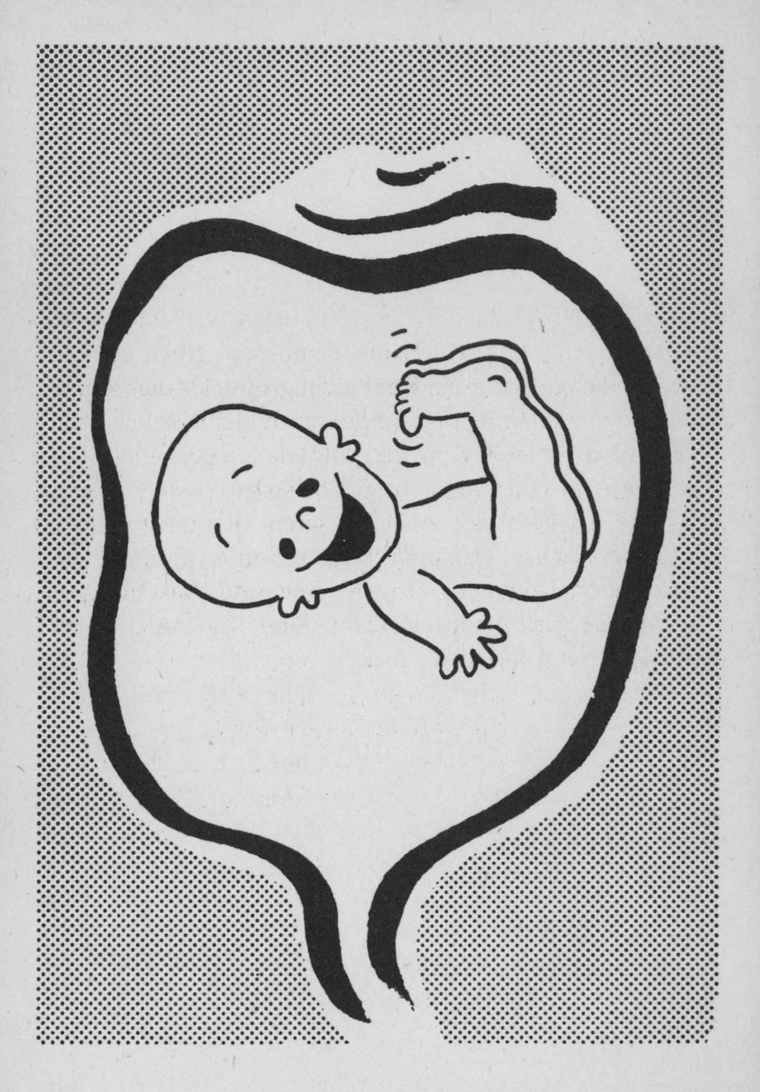

Wenn ich in diesem Maße weiterwachse wie jetzt, werde ich eines Tages hier ausziehen müssen. Noch vor ein paar Wochen war mein Kopf nicht größer als dies kleine o; und meine Arme und Beine waren nicht größer als ||. Dann wurde mein Kopf so groß wie ein großes O und meine Arme und Beine ungefähr so groß wie ( ). Jetzt wohne ich seit über zwei Monaten hier und wachse, wachse, wachse. Habe ich Ihnen schon erzählt, daß ich jetzt meine eigenen Lungen habe und Nasenlöcher, durch die man einatmen kann? Und Knochen, ja. Ich kann schon mit Armen und Beinen stoßen. Das macht mir richtig Spaß, wissen Sie. Manchmal stoße ich damit ein bißchen an die Wände meiner Wohnung, um der Mami Klopfzeichen zu geben, aber bis jetzt habe ich noch keinen richtigen Kontakt bekommen. Und wissen Sie, was ich noch kann?

Ich kann mit den Zehen wackeln. Sie auch?

Oh, ich muß Bäuerchen machen!

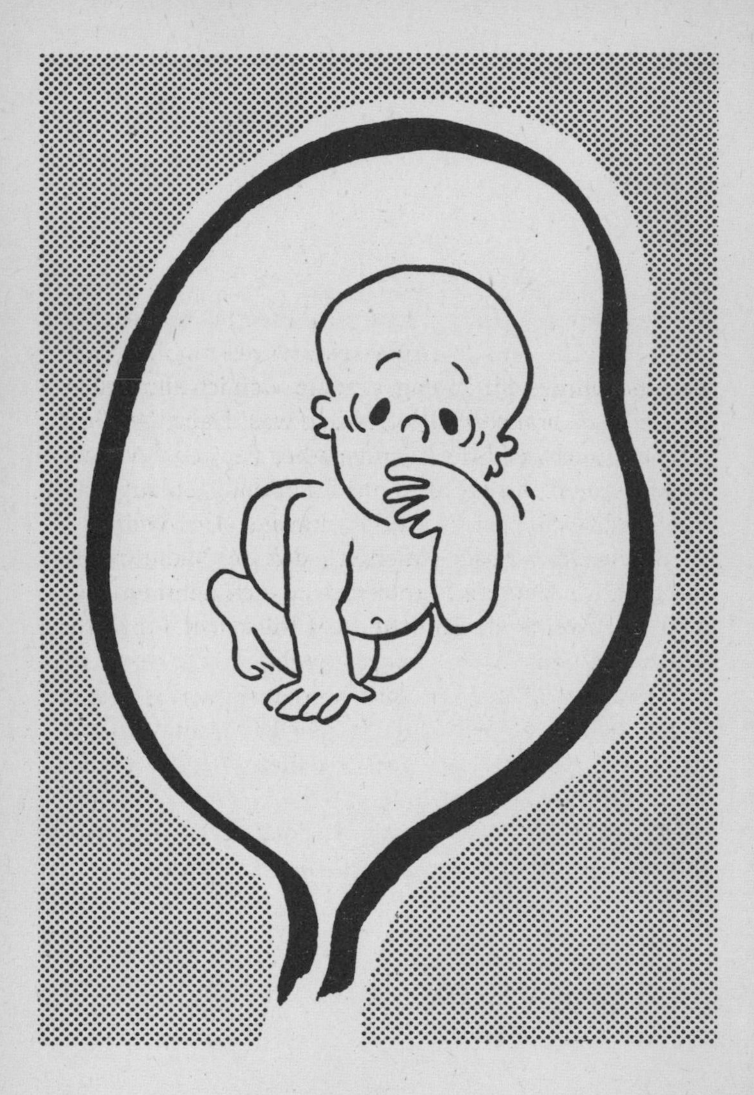

Über die Mami kann ich manchmal wirklich nur lachen. Da behauptet sie doch, sie passe nicht mehr in ihre Kleider; die würden ihr zu eng, sagt sie, weil ich allmählich so viel Platz brauche! Haha! Na, so was! Dabei berühre ich noch nicht mal die Wände. Aber Papi und Mamis Doktor sagen, das sei alles nur Einbildung, solange sie noch nicht weiter sei. Weiter? Wohin eigentlich weiter?

Mamis Doktor sagt außerdem, daß die Mami mehrmals täglich kleinere Mahlzeiten zu sich nehmen soll, statt ein, zwei überreichliche. Aus Rücksicht auf mich, sagt er. Von mir aus! Ich mag es sowieso nicht, wenn sie sich so vollstopft. Mir ist dann immer, als wenn ich aufstoßen möchte. Könnte ich übrigens glatt, wenn ich nur wollte. Ich habe einen Mund und alles und . . . da, das war eben ein Bäuerchen!

Du meine Güte, diese Mami ist doch wirklich dumm. Jetzt hat sie wieder was gegessen, was sie nicht sollte.

Junge oder Mädchen?

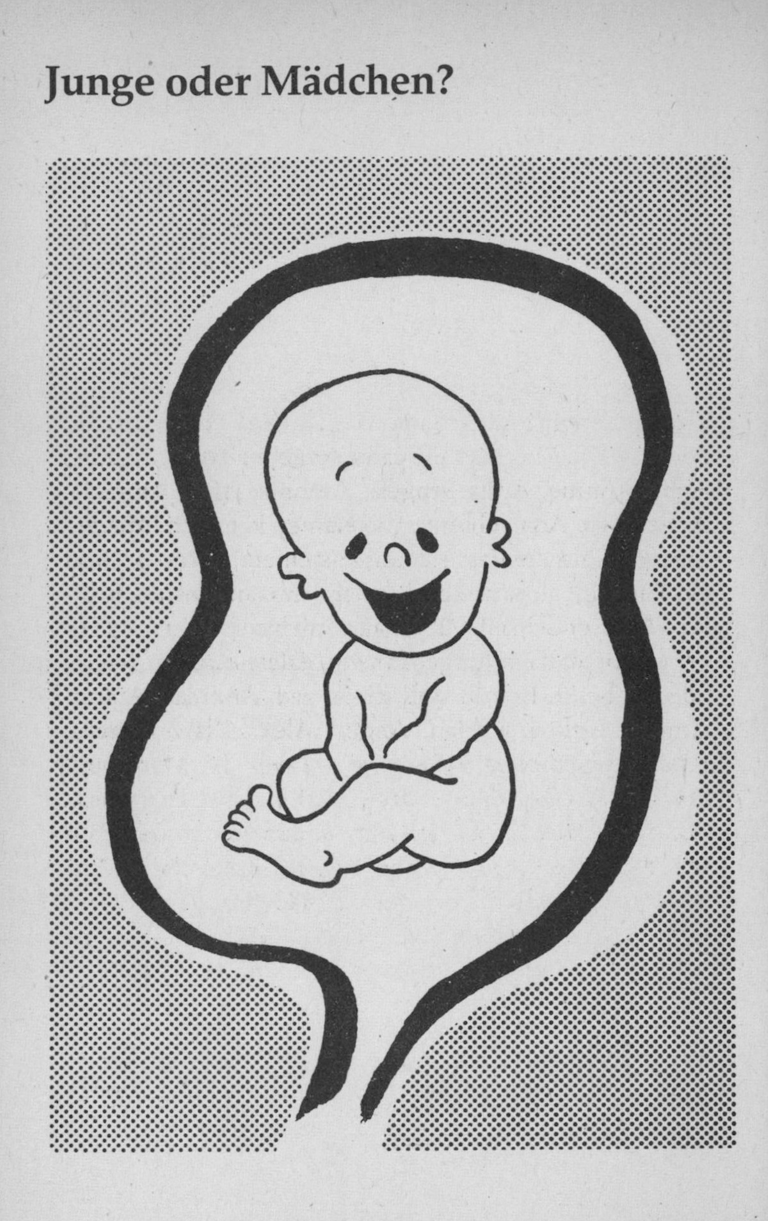

Mami und Papi sind meinetwegen total durchgedreht. Die Mami sagt, ich solle später Annette, Adele, Agathe, Agnes, Annie, Anita, Angela, Antonie, Aida, Amanda, Anne, Asta, Ada heißen. 1500 Namen kann ich kriegen, sagt sie. Und die liest sie laut aus einem Buch vor, und der Papi soll aufschreiben, welche ihm am besten gefallen. Aber er schreibt überhaupt nichts auf. Er sagt, es geht nicht, daß ein Junge Annette, Adele, Agathe, Agnes oder so heißt. Er will, daß ich Alfred, Andreas, Anton, Arnold, Arthur, Adrian, Angus, Alex, Allan, Angelo, Adam, Albert oder Alistair heiße, aber die Mami will nicht, daß ein Mädchen Alfred heißt, sagt sie. Peng! Jetzt sind sie wieder da, wo sie angefangen haben. Der Papi sagt, Streit wegen so was bringt gar nichts, weil wir nicht wissen, ob ich ein Junge oder ein Mädchen werde.

Mensch, ich kann spucken!

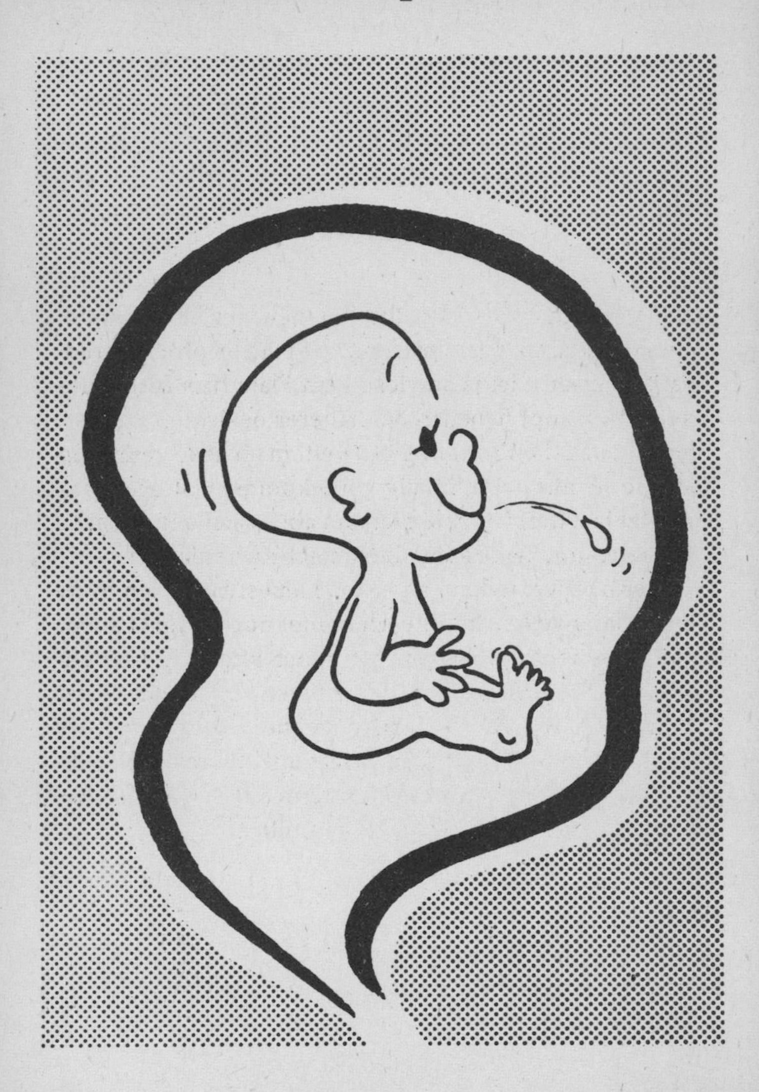

Ich kann spucken! Natürlich keinen gezielten Strahl, aber ich habe ein paar Drüsen, die Speichel produzieren. Na ja, hier drin ist ja sowieso kein Platz fürs Fernspukken. Überhaupt habe ich bei näherer Besichtigung festgestellt, daß die Wohnung bei weitem nicht so geräumig ist, wie sie mir beim Einzug vorgekommen ist. Ich wohne jetzt fast drei Monate hier, bin aber nach wie vor sehr zufrieden und habe keine Lust, mich zu verändern.

Hier passiert jeden Tag etwas Neues. Sollte ich mich jemals langweilen, könnte ich immer noch Nägel kauen. Wie Sie sehen, wachsen mir jetzt auch Nägel. Außerdem habe ich Saugmuskeln in den Backen, mit denen kann ich saugen, wenn mir etwas begegnet, woran ich gern saugen möchte. Könnte ja mal sein, nicht wahr. Und wissen Sie, was ich noch kann? Ich kann auf den Fußboden pinkeln. Aber nur ein ganz kleines bißchen.

O Mann, mir geht es schlecht!

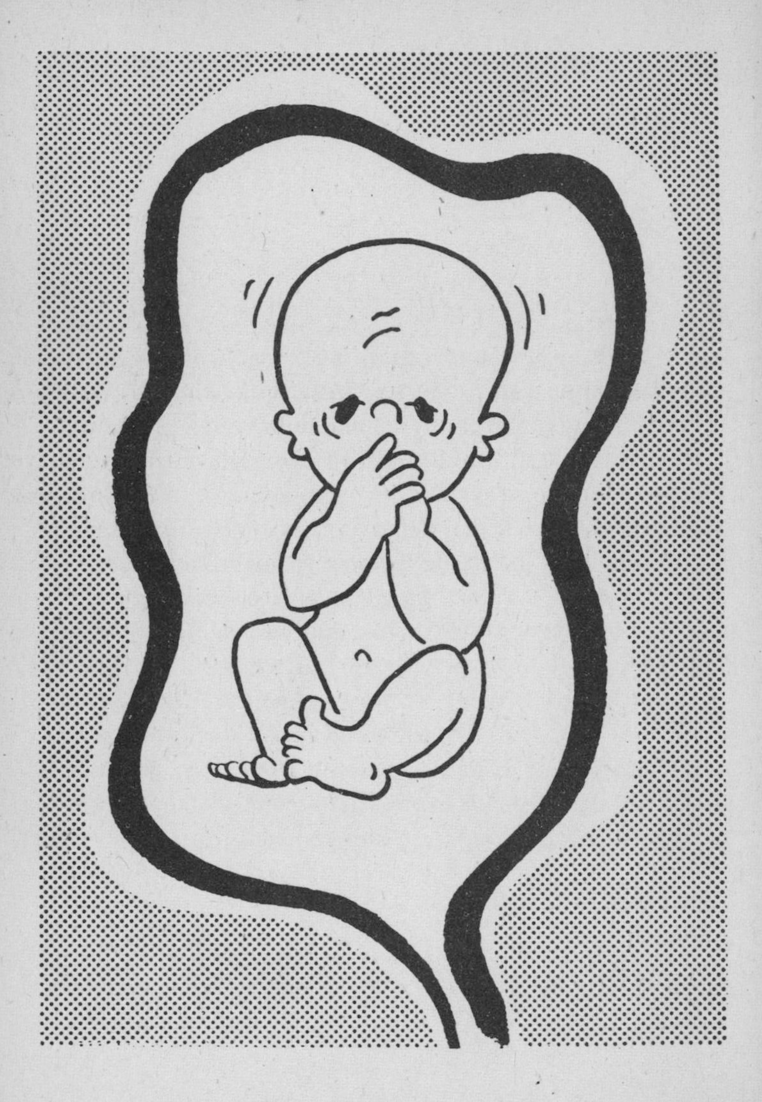

Heute bin ich schlechter Laune. Die Mami ist schlicht blöd. Wenn sie so weitermacht, werde ich kaum hierbleiben können. Dann hau ich einfach ab, ohne Vorwarnung. Liegt ganz bei ihr. Ich war fast die ganze Nacht in einer Diskothek. Ich! Ich schlief fest, plötzlich setzte ein irrer Krach ein, und ich wurde von einer Wand zur anderen geschleudert, Hunderte von Malen, immer von hier nach dort. Ich hatte die größten Schwierigkeiten, mich festzuhalten, und der Krach war ohrenbetäubend. Die ganze Nacht habe ich kein Auge zugetan. Die Mami tanzte und tanzte. Mir wurde immer schwindliger. Wenn ich nur was gehabt hätte, um damit an die Decke zu klopfen, damit ich meine Ruhe bekommen hätte, aber ich hatte nichts, und Mami und Papi tobten ruhig weiter. Yeah! Yeah! Yeah!

Solche Sachen sind nichts für mich. Zum Glück ist die Mami sofort eingeschlafen, als sie dann endlich ins Bett kam. Und heute fühlt sie sich gar nicht gut. Ich auch nicht.

Ich denke ernsthaft daran, auszuziehen.

Jetzt ist's wieder gut!

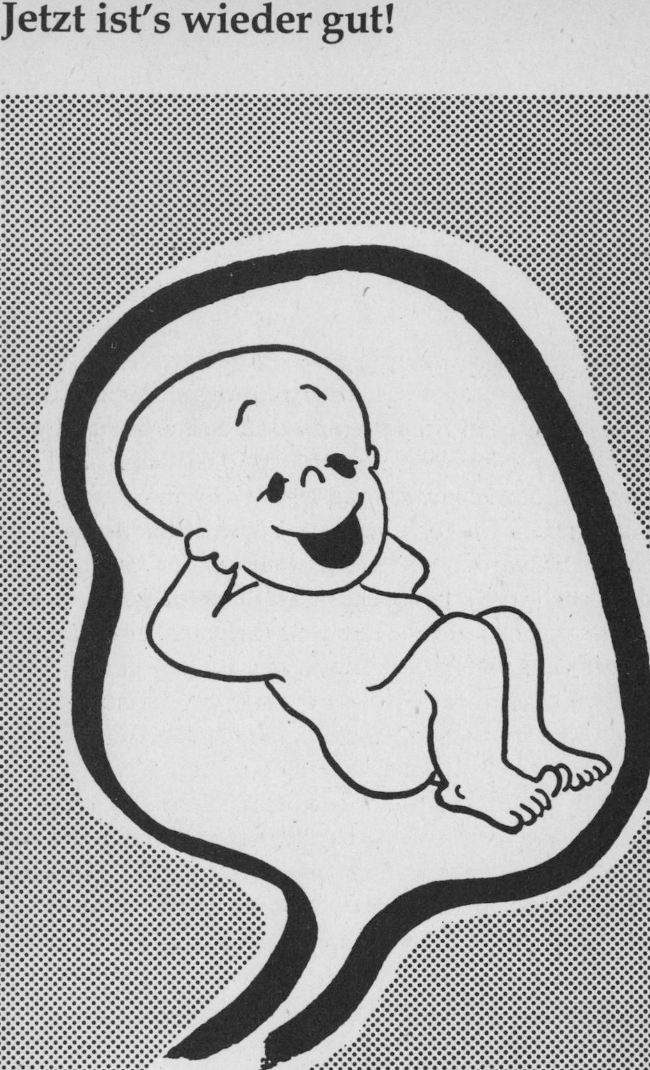

Heute kam der Doktor die Mami besuchen. Die Mami erzählte ihm was von leichten Blutungen. Vermutlich hat sie sich in den Finger geschnitten. Später gestand sie dann, daß sie ein Weilchen in der Diskothek war. Ein Weilchen! Na, ich muß schon sagen! Ich habe noch nicht überwunden, wie ich von einer Wand zur anderen geschleudert worden bin; immer wenn es mir einfällt, bekomme ich so ein komisches Gefühl, als ob ich es in einem so engen Raum wie hier nicht mehr aushalten könnte. Und dann will ich auf und davon.

Zum Glück hörte ich, daß der Doktor die Mami tüchtig ausgeschimpft hat, das war mir ein großer Trost. Der hält zu mir.

Na ja, die Mami ja eigentlich auch. Sie ist den ganzen Tag im Bett geblieben, und hat sich kaum einen Zentimeter bewegt, um mich nur ja nicht zu verstimmen. Das war ja nun wieder goldig von ihr. Mir ist schon viel besser, und ich bin, was die Wohnung anbetrifft, zu einem Entschluß gekommen.

Ich bleibe.

Könnt Ihr meine hübschen Ohren sehen?

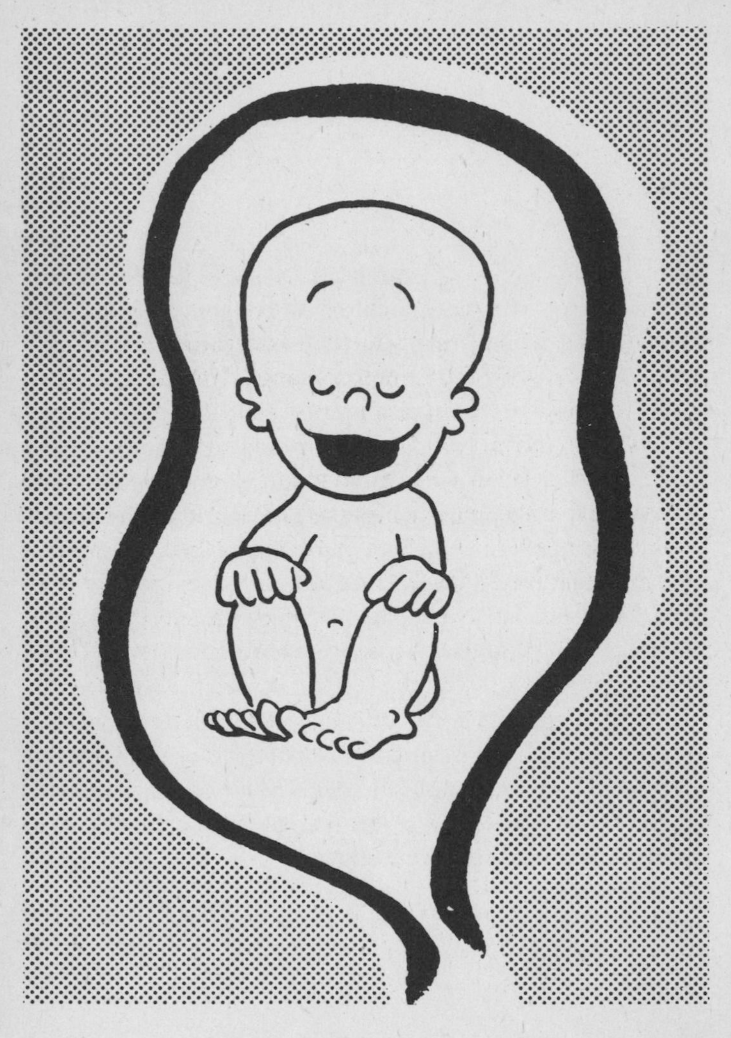

Im übrigen tut sich bei mir einiges, das kann ich Ihnen flüstern. Ich habe Augenlider. Wunderschöne Lider, pro Auge eines. Und wenn ich mich mit der flachen Hand an der Wand abstütze, und etwas drängt von außen dagegen, mache ich automatisch eine Faust. Nicht weil ich wütend bin. Nein, nein, nur so, um was zu tun zu haben. Ulkig, nicht? Mein Gesicht wird auch von Tag zu Tag besser. Ich sehe allmählich aus wie ICH, und das ist auch gut, damit jeder, der einen zufälligen Blick auf mich wirft, gleich weiß, daß ICH es bin, und nicht irgend jemand anders. Und sollte die Mami mich je zu Gesicht kriegen, würde sie gleich erkennen, daß ICH es bin. Meine Ohren sitzen jetzt genau dort, wo sie hingehören. Solide Arbeit, mit Gehörgängen und vielerlei Windungen und lauter solchen Sachen. Der Papi zeigt großes Interesse an der Ohrenfrage. Als er mit Mami und mir eines Abends zu Bett gegangen war und sie noch miteinander schwatzten, hörte ich ihn sagen:

Hoffentlich hat er nette Ohren. Ich jedenfalls habe mein Möglichstes getan, Liebling. Es ist teuflisch schwer, ein paar hübsche Ohren zustande zu bringen.

Werde ich ein Brustkind?

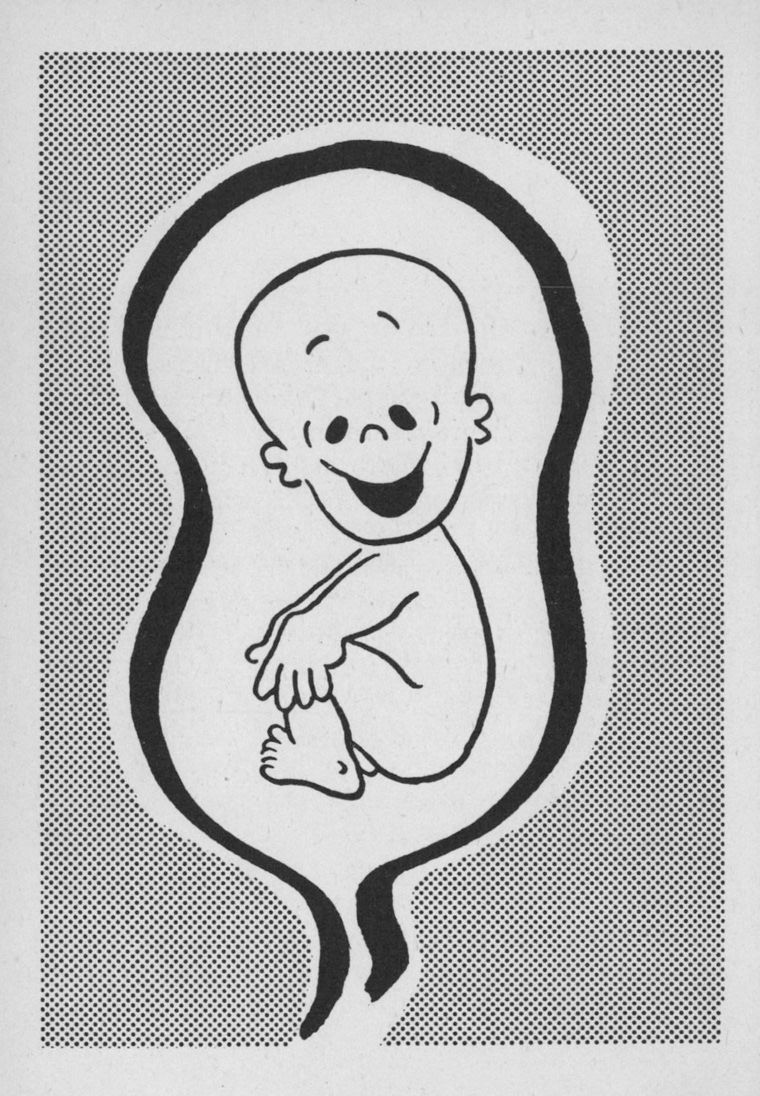

Die Mami schaut immer noch ständig in den Spiegel. Sie achtet sehr auf ihre Brüste. Sie behauptet, die sähen geschwollen aus. Der Papi sagt, sie würden immer größer. Wenn das so weitergeht, sagt er, muß ich dich mit einer Schnur festbinden, Liebling, sonst fliegst du mir noch eines Tages davon wie ein Luftballon. Sagt der Papi. Wenn die beiden sich über Mamis Brüste unterhalten, kriege ich so komische Gefühle im Mund und will immer lutschen. Komisch, was? Manchmal träume ich von Mamis Brüsten, und dann träume ich, daß ich beide Hände darin vergrabe und mich ganz fest ansauge. Ich weiß nicht warum, aber es ist ein hübscher Traum. Die Mami redet auch viel davon, daß ich möglicherweise ein Flaschenkind werde und kein Brustkind. Flaschenkind werde? Wieso »werde«? Brustkind, Flaschenkind, was zum Donnerwetter meinen die eigentlich?

Möglicherweise werde ich nicht genug Milch kriegen, sagt sie.

Milch? Wozu soll die denn gut sein?

Ich kann Mami treten!

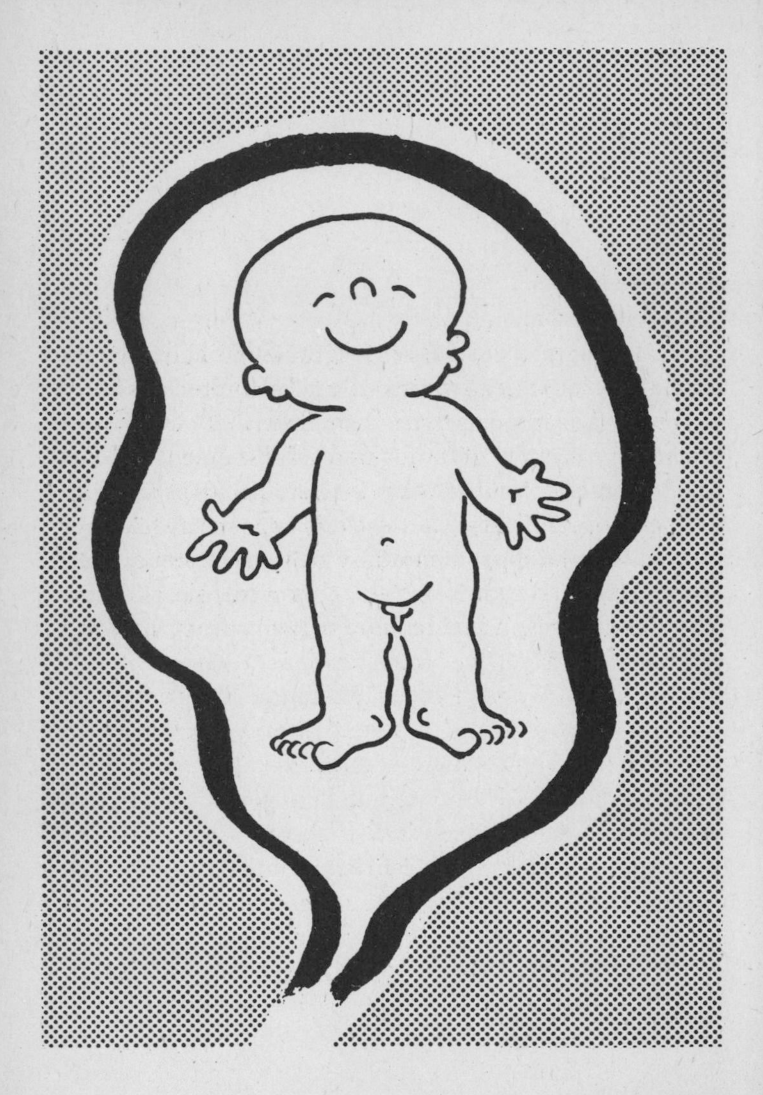

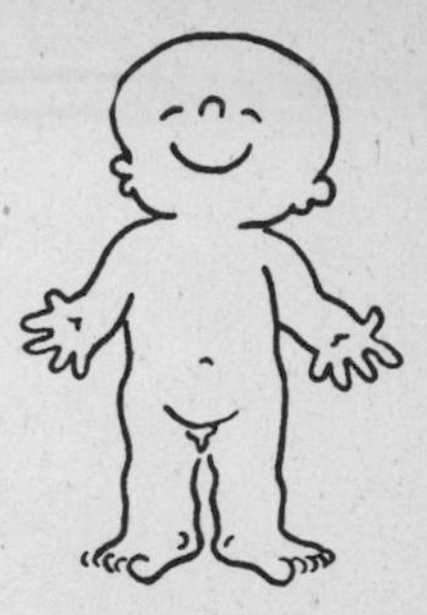

Ich habe Protest erhoben. Ich will nicht haben, daß die Mami so viel raucht. Der Papi sagt auch, sie soll ihren Zigarettenkonsum einschränken. Sie behauptet, das beruhige mich. Dann versetze ich ihr einen Tritt, und sofort drückt sie ihre Zigarette aus und läßt für eine Weile das Rauchen sein. Wenn ich nach ihr trete, hat sie ganz schön Respekt vor mir. Also werde ich sie von jetzt an häufiger treten. Als Drohgeste bewährt sich das bestens. Vielleicht bilde ich es mir nur ein, aber wenn sie mich mit dem blödsinnigen Zigarettenrauch vollpumpt, habe ich immer das Gefühl, ich könne nicht mehr atmen.

Die Mami hat selber eine Mami. Die Mami von der Mami ist ihre Mutter. Mit einem Wort, meine Großmutter. Diese Großmutter sagt, daß werdende Mütter, die zu viel rauchen, viel kleinere Kinder kriegen, die obendrein zu früh geboren werden. Soweit die Mutter von der Mami. Meine Großmutter. Wenn sie so was sagt, drückt die Mami immer ganz schnell ihre Zigarette im Aschenbecher aus. Und dann seufze ich erleichtert auf und schlukke einen großen Mundvoll frischer Luft bis hinunter in die Lungen.

Mmmmmm. Köstlich!

Mami ist die allerbeste!

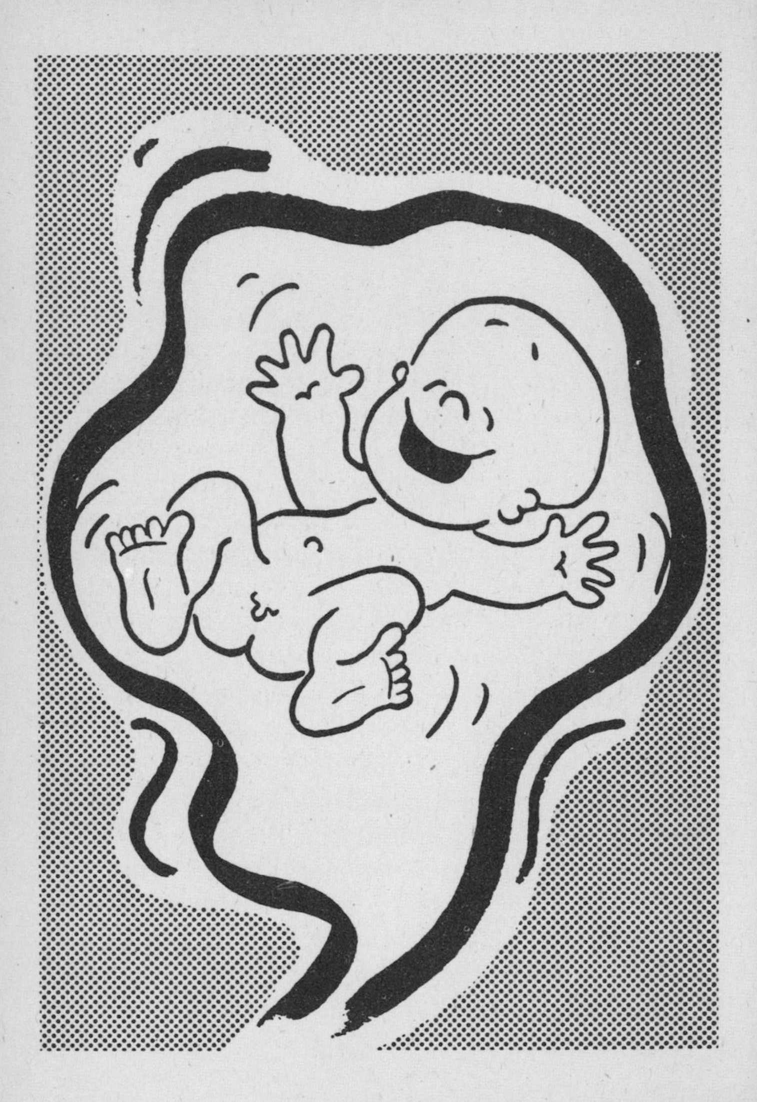

Natürlich ist die Mami die allerbeste, schon weil sie *meine* Mami ist, aber alles was recht ist, einfach ist es nicht mit ihr. Bei ihr weiß man nie, was sie gleich wieder Dummes anstellen wird. Neuerdings hat sie sich in den Kopf gesetzt, mich auf die sonderbarste Weise herumzuschwenken. Ich muß mich an sie anklammern und weiß oft nicht mehr, wo oben und wo unten ist. Gymnastik für werdende Mütter nennt sie das. Um alles in der Welt, gute Frau, hör auf damit. Zu allem Überfluß behauptet sie auch noch, sie täte es für mich! Hockt sich plötzlich auf alle viere und macht ein Hohlkreuz, schwenkt das Hinterteil hin und her, rollt sich auf den Rücken und läßt die Beine kreisen und solches Zeug. Manchmal wird mir ganz schön schwindlig. Manchmal macht es aber auch einen Riesenspaß. Zum Beispiel, wenn sie solchen Unsinn macht und auf allen vieren rumkriecht und ihr Hinterteil von rechts nach links schwenkt, dann muß ich einfach lachen; das ist nämlich wie auf einer Schaukel und kitzelt mich am Bauch. Da, jetzt macht sie es schon wieder!

Hihi! Hihi! Hör bloß auf damit ...

Papi mischt sich ein!

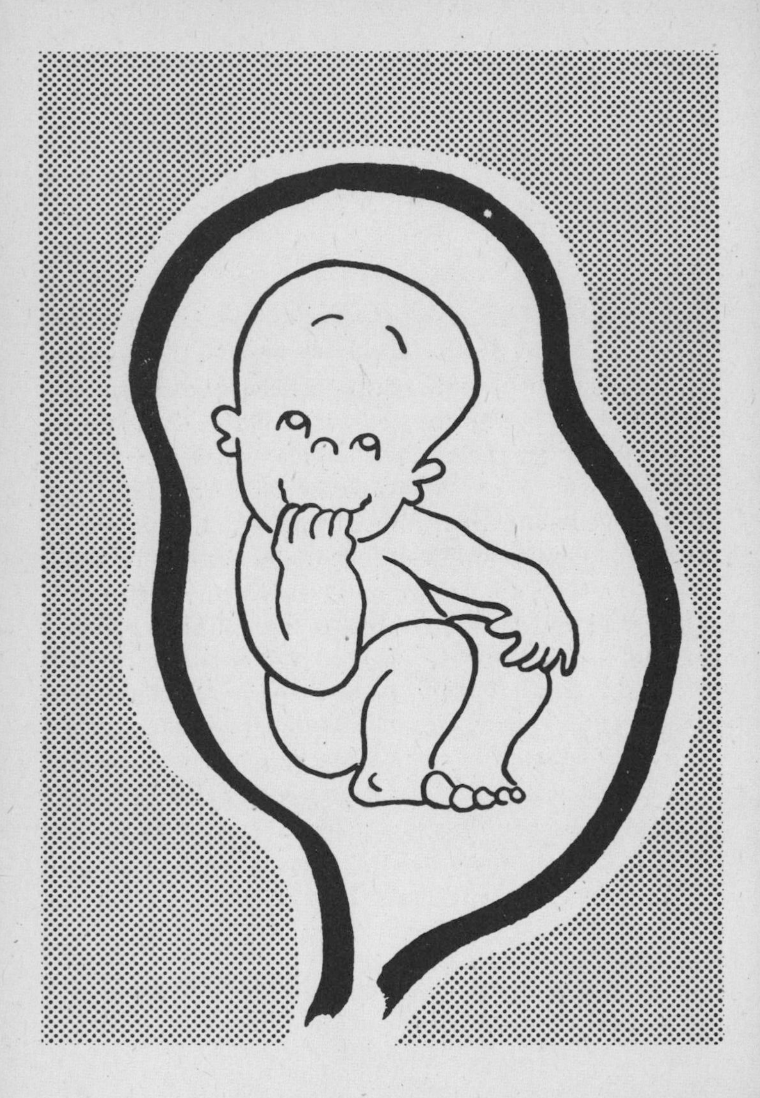

Mit der Mami zu leben wird immer schwieriger. Ich habe es bald satt, mir anzuhören, was ihr alles fehlt. Entweder sie ist verstopft, oder sie kriegt Gänsehaut oder Wadenkrämpfe oder Sodbrennen oder tausend andere Sachen, dann wieder rennt sie aufs Klo – man hat keine ruhige Minute mehr. Und jetzt hat auch noch der Papi angefangen, sich einzumischen. Er behauptet, um ihn kümmere sich keiner mehr. Wenn sich die Mami bei ihm beklagt, paßt ihm das nicht. Und wenn sie sich nicht bei ihm beklagt, paßt ihm das auch nicht. Ihm gegenüber dürfe sie sich getrost aussprechen, sagt er. Und wenn sie es dann tut, sagt er, das sei doch alles kompletter Blödsinn. Du machst aus einer Mücke einen Elefanten, sagt er, und ich will kein Wort mehr über diese Entbindung hören. Jede Frau, die Brot schneiden kann, sagt er, kann auch ein Kind zur Welt bringen.

Ein Kind zur Welt bringen? Was ist das nun schon wieder?

Es ist einfach himmlisch!

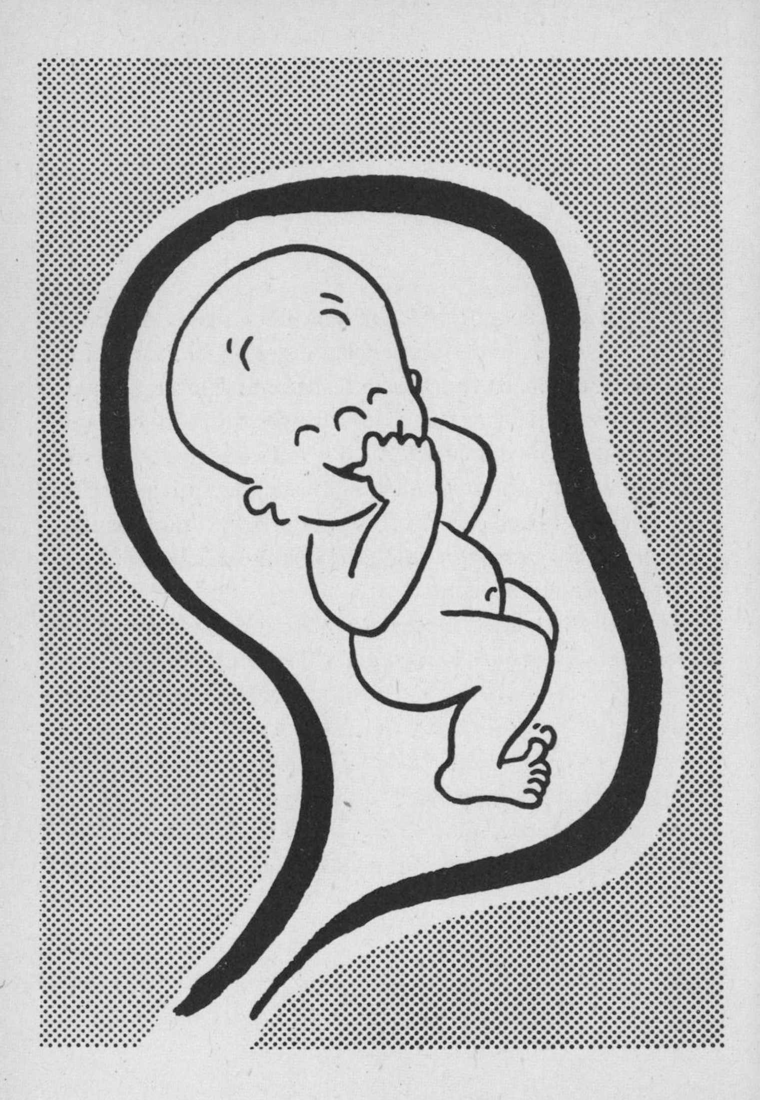

Ich habe es urgemütlich. Von mir aus braucht sich nichts zu ändern. Jetzt habe ich meinen eigenen Blutkreislauf und fühle mich rundum prima. Meiner Mami geht es auch besser. In letzter Zeit kommt sie mir viel ruhiger vor. Und wenn die Mami sich nicht aufregt, rege ich mich nicht auf, und wenn Mami und ich uns nicht aufregen, regt sich auch der Papi nicht auf, und wenn wir alle drei uns nicht aufregen, regt sich kein Mensch auf.

Also regen wir uns nicht auf.

Es ist einfach himmlisch: Jeden Abend, wenn die Mami im Bett ist, streichelt mich der Papi. Nicht direkt, natürlich. Er streichelt meine Mami auf dem Bauch, und die Mami sagt: Es ist wundervoll, so einen Winzling unter dem Herzen zu tragen. Und dann sagt der Papi: Ja, ist es nicht einfach phantastisch! Und dann muß die Mami ganz still liegen und darf kein Wort sagen, und dann drückt er sein Ohr auf ihren Bauch und horcht, ob er mich hört.

Huu-uh!

Mami, was machst Du da?

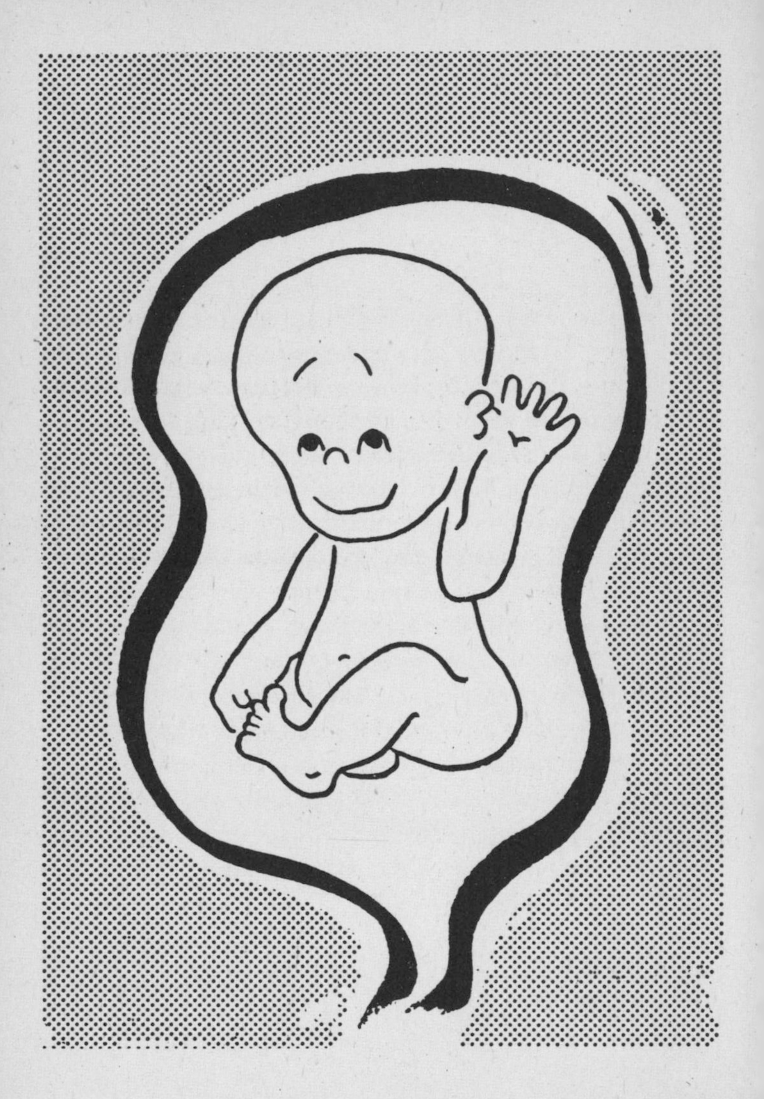

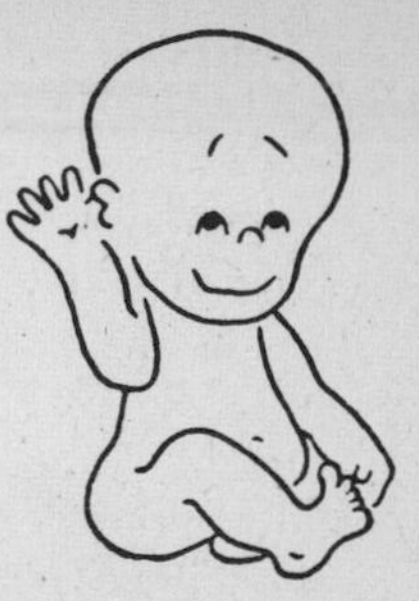

Seit langem höre ich, wenn ich mein Ohr an die Wand lege, ein merkwürdiges schabendes Geräusch, als ob einer den Boden poliert. Ich habe nie herausgekriegt, was es ist, aber jetzt habe ich die Mami mit dem Papi darüber reden hören. Es ist die Mami, die sich den Bauch reibt. Verrückt, nicht wahr? Aber sie besteht darauf, da ihre Haut sich bald so wird dehnen müssen, daß sie so geschmeidig und elastisch sein muß wie die von einem Gummiball, der immer stärker aufgepumpt wird, sagt sie. Sie schmiert sich Fettcreme auf den Bauch und massiert das Zeug ein, aber es nützt nichts, die Haut wird von Tag zu Tag straffer, und der Papi sagt, bald wird sie so glatt sein, daß er versuchen wird, darauf Schlittschuh zu laufen.

Ich würde mich nicht wundern, wenn er eines Tages dazu überginge. Allmählich bin ich ja einiges gewöhnt.

Ich habe . . . hick!

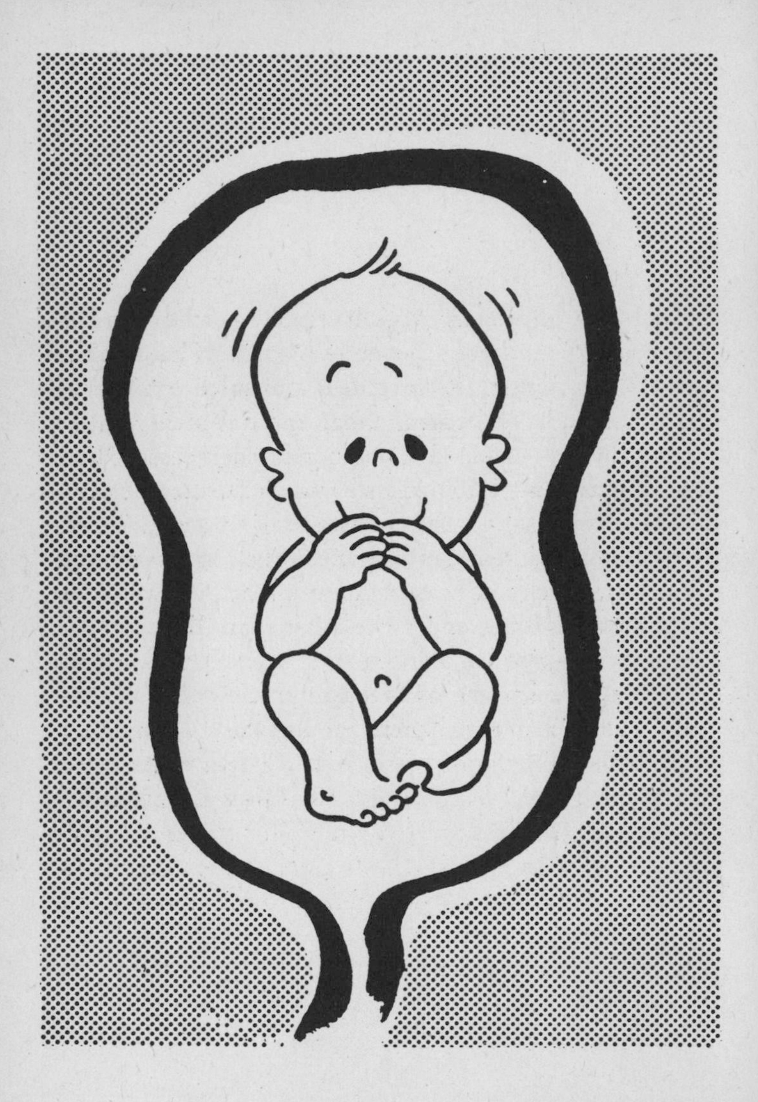

Wenn ich doch einen Spiegel hätte! Ich würde so gern sehen, wie ich mit Haaren aussehe. Mein Kopf hat nämlich Haare bekommen. Wenn die Mami mich jetzt sehen könnte, fände sie bestimmt, daß mir das steht. Außerdem habe ich – hick – Wimpern gekriegt. Wenn ich mit den Augen blinzle, blinzeln sie mit. Und drittens – hick – habe ich eine sehr gute Schlafstellung entdeckt. Richtig erholsam. Mit dem Kinn auf der Brust. In dieser Lage kann ich – hick – na, das ist doch zu blöd. Ich weiß auch nicht, was es ist, aber – hick – jetzt habe ich es wieder. Manchmal geht das stundenlang so weiter, als ob ein Rülpser auf meinem Zwerchfell Purzelbäume schlägt – hick. Es tut mir schrecklich leid, mit dieser idiotischen Hickerei die Mami zu ärgern, denn ich habe es hier wirklich warm, friedlich und schön, und es wäre mir gräßlich, Ungelegenheiten zu machen. Zum Glück habe ich inzwischen herausgekriegt, wie ich diese dumme Rülpserei abstellen kann: Ich brauche nur ganz gleichmäßig und tief zu atmen, dann –

Hick!

Ich bin total verheult!

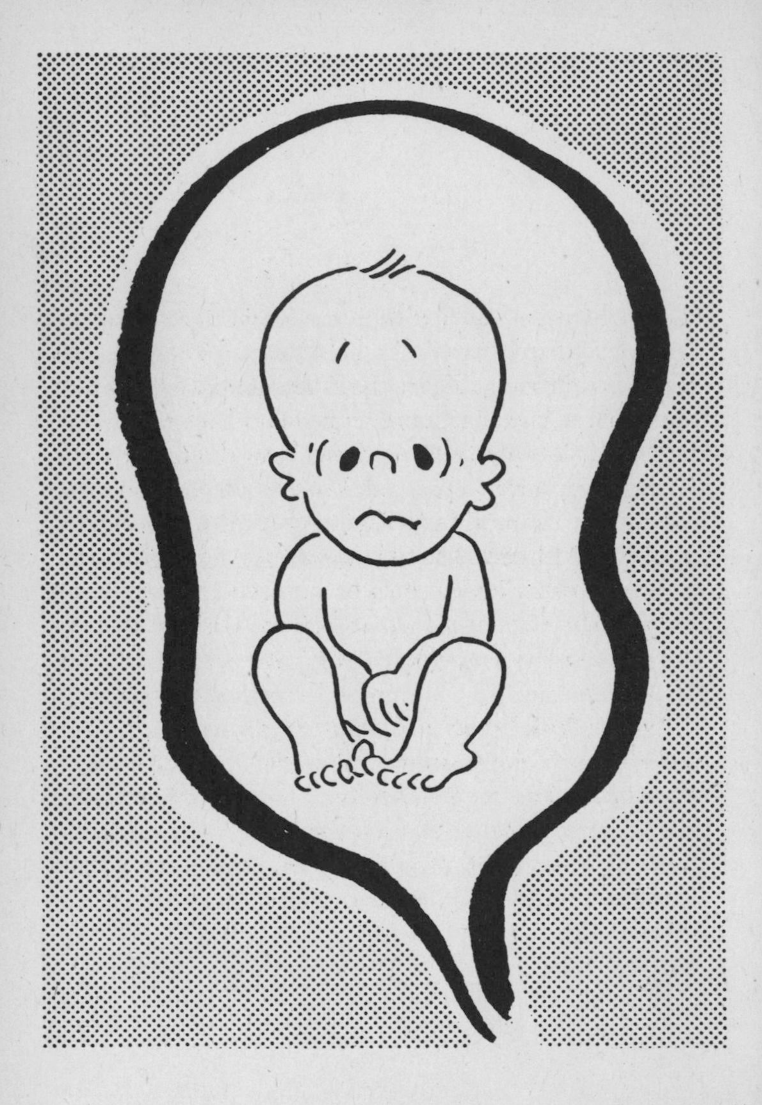

Na, ich habe mich vielleicht erschrocken: Bis heute war alles gemütlich und still, und auf einmal ist etwas passiert, was mich ängstlich in die Zukunft blicken läßt. Die Mami hat mich mitgenommen zu einer Dame, die *Hebamme* genannt wird. Sie können sich darauf verlassen, daß ich mir diese Bezeichnung merken und aufpassen werde wie ein Schießhund, daß ich der nicht nochmal begegne. Mit der will ich nichts zu tun haben. Wenn die sich nochmal so aufdringlich an mich heranmacht, drehe ich ihr einfach den Rücken zu. Dabei könnte ich nicht mal sagen, was mir an ihr so unsympathisch ist. Ich mag sie eben nicht.

Ich zittere noch immer. Obwohl sie mir ja nichts zuleide getan hat. Sie hat nur der Mami eine Blutprobe entnommen und auf mich gehorcht. Ich habe ganz still gelegen und kaum zu atmen gewagt.Aber mein dummes Herz hat so laut geklopft, daß sie es hören mußte. Sie hat zur Mami gesagt, wenn sie zweierlei Herztöne hören könnte, wäre ich Zwillinge.

Ich? Zwillinge?

Ich habe kein Wort begriffen.

Uff, Gin brennt in den Augen!

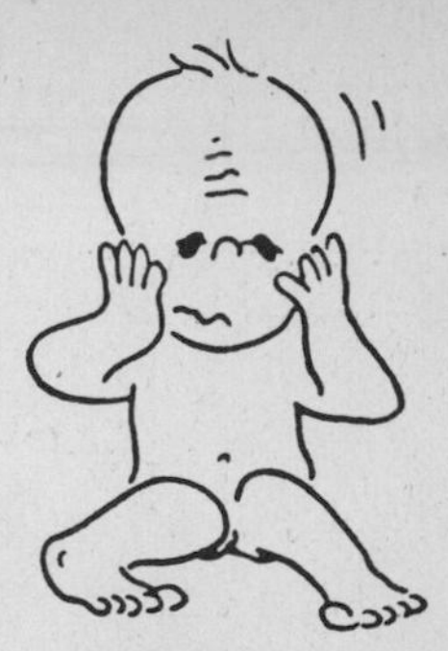

Jetzt ist wieder ein Tag so friedlich wie der andere. Ich könnte getrost auf meinem nackten Hintern sitzen, brauchte mich um nichts zu kümmern und nur hin und wieder mal in meiner neuen Schlaflage ein Nickerchen einlegen. Und was passierte gestern abend? Mami und Papi haben Gäste, und die Mami ißt doch glatt von dem fetten Zeug, von dem der Doktor ihr so abgeraten hat, und ich fühle mich schlicht grauenvoll. Anschließend hat sie mich beinah ertränkt in etwas, das Gin und Wermut heißt und noch etwas, das Cola mit Rum heißt. Der ganze Kram ist naturgemäß vollständig in mich eingesikkert, ich bin fast gewatet in Gin und Wermut, und die Augen haben mir gebrannt. Ich konnte kaum noch atmen und bekam es mit der Angst und haute mit der geballten Faust an die Wände und trat um mich so energisch ich konnte, damit sie damit aufhörte. Endlich hörte sie auf und ging ins Bett. Sie fühle sich nicht gut, sagte sie.

Ich brauche nur den Kopf zu schütteln, dann ist mir, als wäre der ganze mir zur Verfügung stehende Raum, als wäre die ganze Welt nur noch Gin und Wermut.

Laßt mich in Ruhe!

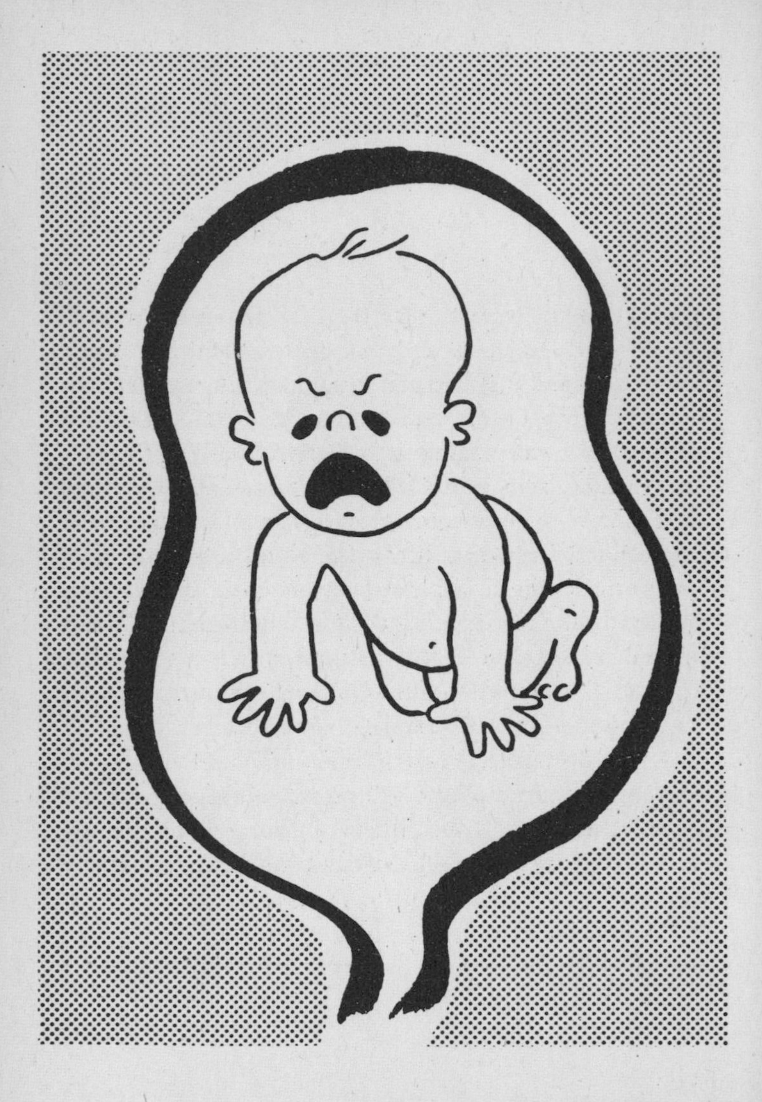

Ich mag das nicht, daß mich die Mami zu ihren sämtlichen Damenbekanntschaften mitzerrt. Eben waren wir bei etwas, das heißt Entspannungskurs. Es regt mich jedesmal auf, wenn diese dummen Damen zur Mami so sonderbare Sachen sagen und sie beschwatzen, Dummheiten zu machen, statt die Mami und mich in Ruhe unser Zusammensein genießen zu lassen. Die neue Dame befahl der Mami, sich hinzulegen und die totale Entspannung zu üben. Sie sollte langsam durch die Nase atmen und die Luft langsam zu den Ohren herauslassen (vielleicht auch durch den Mund, jedenfalls g-a-a-a-nz langsam) Und dann sollte die Mami alle unnötigen inneren Spannungen abbauen, alles Unwichtige von sich schieben und sich ganz auf ihren Körper konzentrieren. Sagt die Fachfrau für Entspannung. Wenn die Mami, sagte sie, erst begriffen habe, wie Muskulatur und Atmung sich gegenseitig beeinflussen, und wie wichtig das sei, dann sei das sehr günstig für sie.

Bla – Bla – Bla!

Seid doch etwas leiser!

Meine Mami ist keine Durchschnittsmami. Sie hat kein Gefühl dafür, wie man auf andere Rücksicht nimmt. Meine kleine Wohnung ist nicht entfernt so gut isoliert, wie ich dachte. Seit kurzer Zeit bin ich sehr empfindlich gegen Geräusche von draußen. Wenn eine Tür knallt, fahre ich zusammen. Wenn das Radio angestellt wird, wache ich auf. Oder wenn ein Hund bellt. Aber das allerschrecklichste ist, wenn die Mami mitten in der Nacht aufsteht und anfängt, aus einem Maschinengewehr zu feuern. Das tut sie jetzt fast jede Nacht und der Papi meint, daß sie ein paar sehr dumme Eßgewohnheiten angenommen habe. Sie ist jetzt wie versessen auf etwas, das Popcorn heißt und behauptet steif und fest, ohne Popcorn könne sie nicht auskommen. Um 2 Uhr nachts steht sie auf, schüttet ein Päckchen Maiskörner in einen kleinen Tiegel und macht Popcorn, und wenn der Mais im Kochtopf explodiert, geht es Peng! Peng! Peng! und ich wache aus dem süßesten Schlummer auf und zittere vor Schreck.

Man braucht schon Nerven, um ICH zu sein!

Mami weint

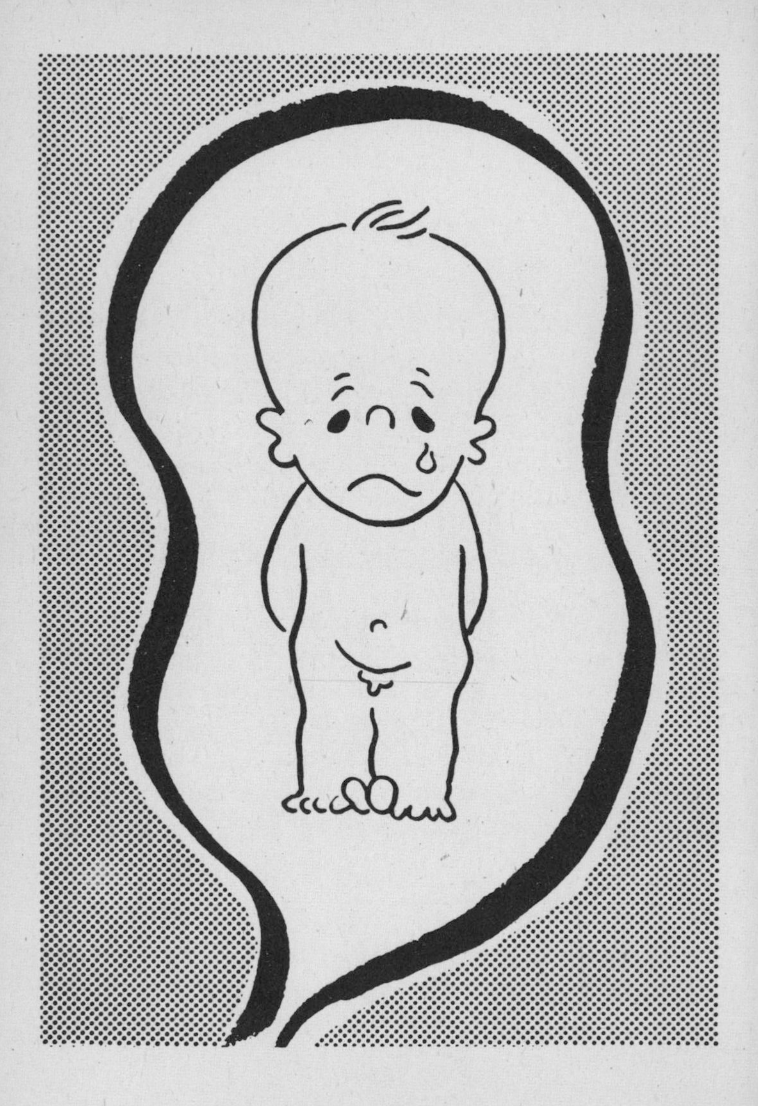

Bei uns ist wieder mal Riesenärger! Die Mami weint und ist deprimiert und ganz außer sich. Der Papi tröstet sie und sagt, sie soll doch nicht auf dieses dumme Altweibergeschwätz hören. Es fing damit an, daß die Mami ein paar Damen zum Tee einlud. Sie unterhielten sich so gut wie ausschließlich über mich. Eine der Damen sagte, sie kennt eine Dame, die kennt eine Dame, die hat Präeklampsie gekriegt. Die Mami hat gefragt, was das ist, und die Dame hat gesagt, das ist eine Schwangerschaftsvergiftung. Dann sagte wieder eine andere Dame, sie hat eine Freundin, die hat eine Schwester, und die bekam Masern während der Schwangerschaft. Danach herrschte absolute Stille im Zimmer, bis wieder eine andere Dame sagte, sie kennt eine Dame, die kannte eine Dame, die hatte von einer Dame gehört, deren Kind eine Zangengeburt war. Und da hat die Mami angefangen zu weinen. Und seitdem weint sie. Und wenn meine Mami weint, ist mir auch so weinerlich.

Hör doch auf, Mami, bitte, hör doch auf. Der Papi sagt auch, daß du aufhören sollst!

Mensch, mir geht's gut!

Also, jetzt wissen wir's! Von jetzt ab bin ich lebensfähig, hat Mamis Doktor gesagt. Die Mami ist im sechsten Monat, und wenn irgendwas passieren sollte, sagt Mamis Doktor, habe ich die Chance, im Brutkasten durchzukommen. Besten Dank, ich geh in keinen Brutkasten, ich bin hier ganz zufrieden, wo ich jetzt bin. Er hat mich nie gesehen, aber er weiß alles über mich. Ich bin jetzt 600 cm lang und wiege 35 Gramm. Oder war es umgekehrt? Ich habe nicht richtig aufgepaßt. Viel drolliger fand ich, daß er sagte, ich hätte eine Schutzschicht um mich herum. Eine Lage weißes Fett, die mich gegen Stöße schützt, wenn ich trampele oder mich umdrehe. Von jetzt an kann ich also um mich treten, soviel ich will, ohne mich zu verletzen. Wenn die Mami auf dem Bett liegt und der Papi schaut aufmerksam auf ihren Bauch, kann er mich sehen, wie ich das Leder umdribble und kicke und Kopfbälle lande.

Er wird mir Fußballerstiefel kaufen, sagt er.

Au ja, fein!

Jetzt hat Mami Windeln gekauft!

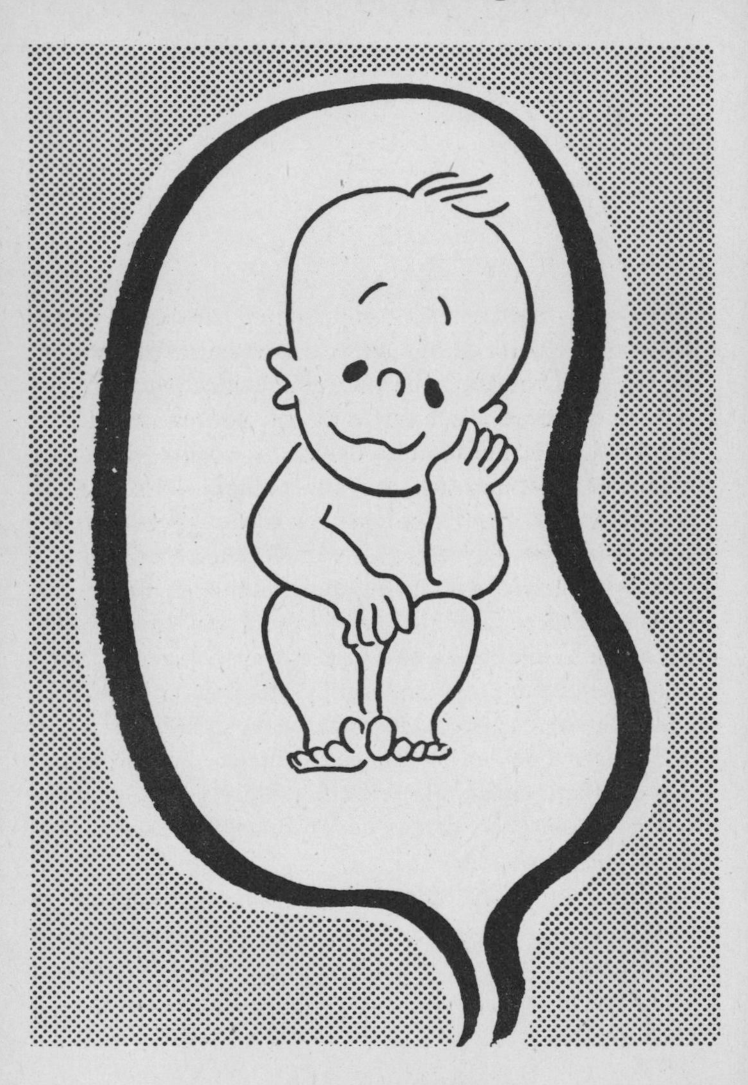

Die Mami ist in die Stadt gegangen und hat Windeln gekauft. Windeln noch und noch. Die Verkäuferin hat gemeint, sie wären außer ihrem Hauptzweck auch noch für manches andere brauchbar. Was für ein Hauptzweck? Sie hat gesagt, man kann sie als Lätzchen umtun oder als Laken in mein Bettchen spannen. Sicher wollte sie die Mami nur auf den Arm nehmen, weil ich ja gar kein Bettchen habe, aber die Mami hat sich alles begeistert angehört, mit großen, strahlenden Augen. Sie hat auch was gekauft, das so ähnlich wie »Moltontuch« heißt, und Gummihöschen. Und eine Strampelhose für wenn ich daliege und strample, und das finde ich prima, denn den Weltrekord im Strampeln, den habe ich jetzt bald.

Als die Mami mit ihren Einkäufen heimkam, kriegte der Papi beinahe einen Herzanfall. Was willst du denn mit all dem Zeug, hast du für die ganze Entbindungsstation eingekauft – oder was?

Als der Papi das Wort Entbindungsstation aussprach, war mir wie bei einem Elektroschock, und die Mami faßte sich an den Bauch, und ihr wurde ein bißchen übel. Falsche Wehen, sagte der Papi. Hat überhaupt nichts zu bedeuten.

Für Papi gibt es Grenzen!

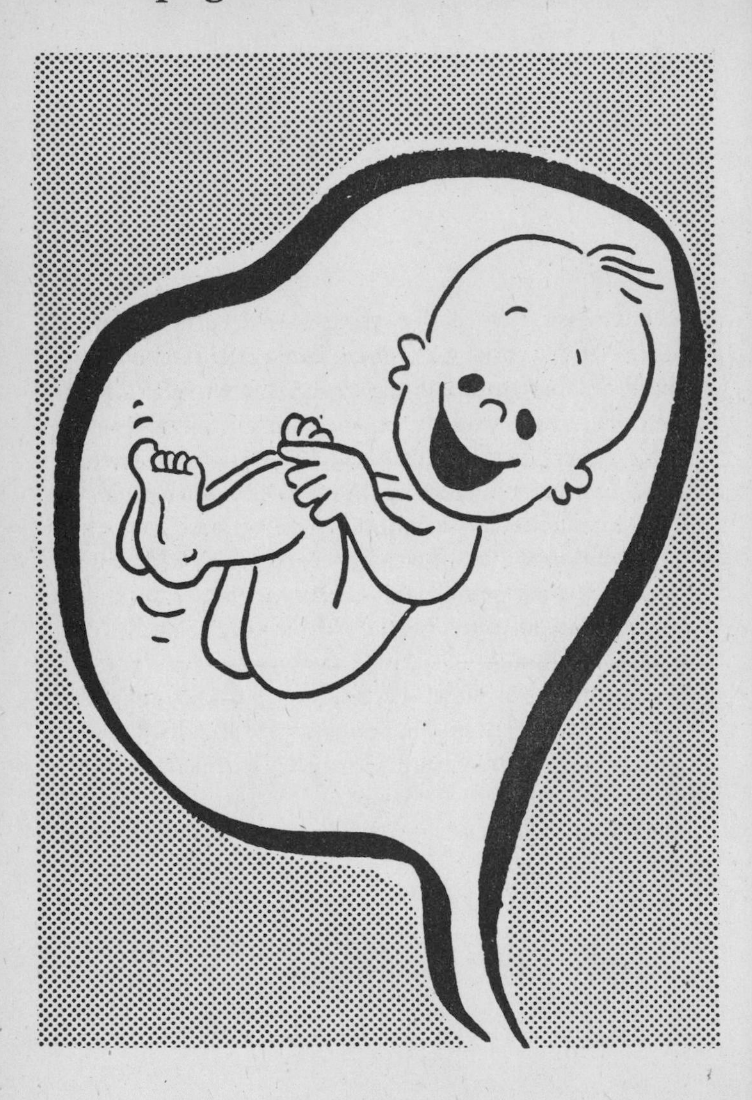

Jetzt bin ich also im Zirkus gewesen! Die Mami ist mit etwas heimgekommen, das sie Plastikpuppe nannte und wollte, daß der Papi sie badet und wickelt, und das hat er auch probiert, aber als er beim Wickeln angekommen war, schmiß er alles auf den Boden und sagte ganz ärgerlich, mit diesem verdammten Zirkus will ich nichts zu tun haben. Und da hat die Mami ihn ein bißchen aufgezogen und schließlich hat er es doch nochmal probiert, aber da hat die Mami gesagt, er hat zwei linke Hände. Die Plastikpuppe hätte ich gern gesehen, weil die Mami gesagt hat, die ist aber furchtbar lieb, und wenn ich auch so lieb würde, wäre sie sehr froh, und dann hat sie die Plastikpuppe in das Moltontuch eingewickelt und hat sie auf den Armen ganz leise hin und her gewiegt.

Das hätte ich gern ausprobiert.

Ich plaudere mit Mami

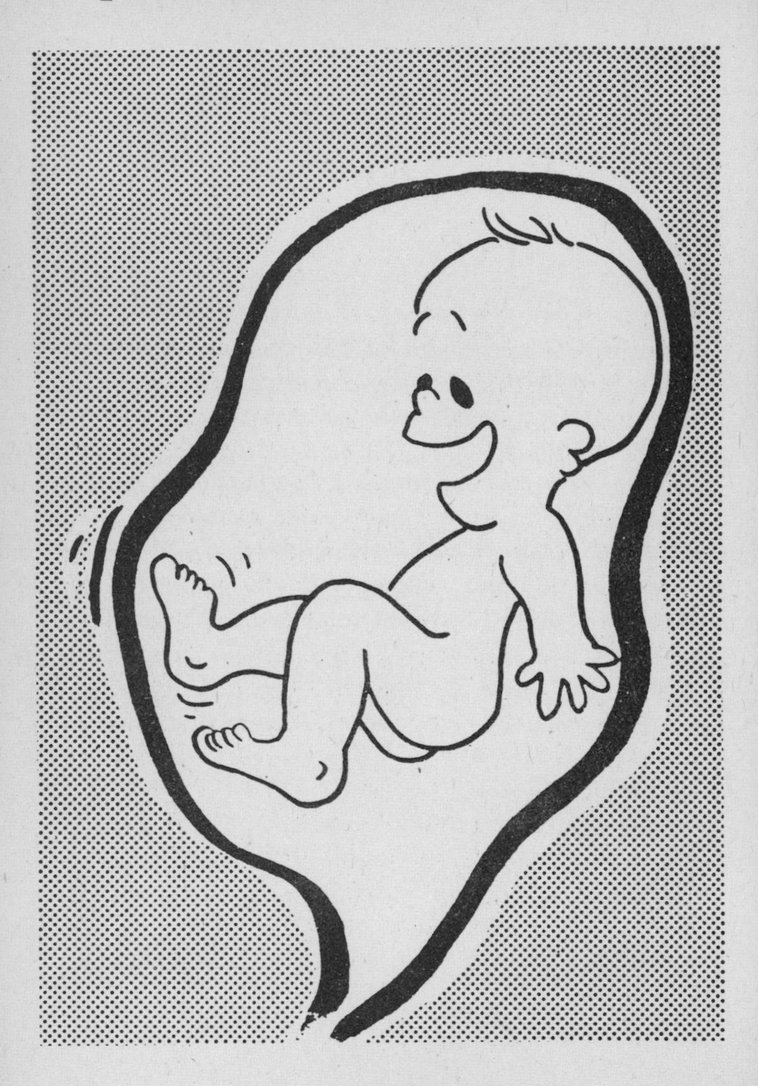

Die Mami hat angefangen, mit mir zu reden. Sie nennt mich ihr Schätzchen, ihren klitzekleinen Racker. Manchmal sagt sie, ich bin ein Unband, und manchmal sagt sie, wenn ich mich nicht manierlicher benehme, wird sie ernsthaft böse. Wenn sie das sagt, nennt sie mich auch nicht ihr Schätzchen. Mami und Papi haben ein sehr liebes, sanftes Tier, das sie Pussy rufen. Manchmal, wenn die Mami auf ihrem Bett liegt und sich ausruht, springt Pussy auf sie drauf und legt sich der Mami auf den Bauch, dann kann ich beinah fühlen, wie lieb und weich sie ist. Manchmal versetze ich ihr einen Tritt, nur so zum Spaß, und das spürt sie und stellt sich auf die Beine und gibt Mamis Bauch einen kleinen Klaps mit der Pfote, und dann hebt die Mami den Kopf und sagt: »Ruhe da unten, ihr zwei!«

Und wenn die Mami in der Badewanne liegt, hält sie manchmal ganz ganz still und hofft, daß ich ihr gerade jetzt einen Tritt gebe, und dann strampele ich ein bißchen, um ihr einen Gefallen zu tun, und sie runzelt die Stirn und sagt: »Na, na, du Racker, mach keine solchen Wellen!«

Mami und Papi haben Probleme

Ich war mit der Mami beim Doktor. Der Papi ist auch mitgekommen. Übrigens ging es dabei gar nicht um mich. Die beiden sagten, sie hätten neuerdings Probleme mit ihrem Eheleben, aber der Doktor sagte, das sollten sie nicht tragisch nehmen und kein Problem aus diesem Problem machen; dann sei es kein Problem, hat er gesagt. Er hat gesagt, der Papi sollte auf Mamis Gemütszustand Rücksicht nehmen, und nach der Geburt würde sich alles wieder bestens einpendeln. Immer, wenn ich das Wort »Geburt« höre, spitze ich die Ohren und bin auf der Hut. Ich versteh zwar nicht ganz, wovon sie reden, aber mir scheint, es gehe dabei um irgendwas, was entweder die Mami oder der Papi oder die Hebamme »gebären« sollen. Na, mir ist es egal, mich geht's nichts an. Viel lustiger war, als der Doktor den Papi fragte, ob er mich gern mal hören würde, durch ein Ding, das der Doktor »Stethoskop« nannte. Damit hat der Papi an Mamis Bauch gehorcht, und der Doktor hat gefragt, ob der Papi was hören kann, und da hat der Papi gesagt:

Du meine Güte, ja, der rast anscheinend da drin auf Rollschuhen rum!

Über mich sind Bücher geschrieben worden!

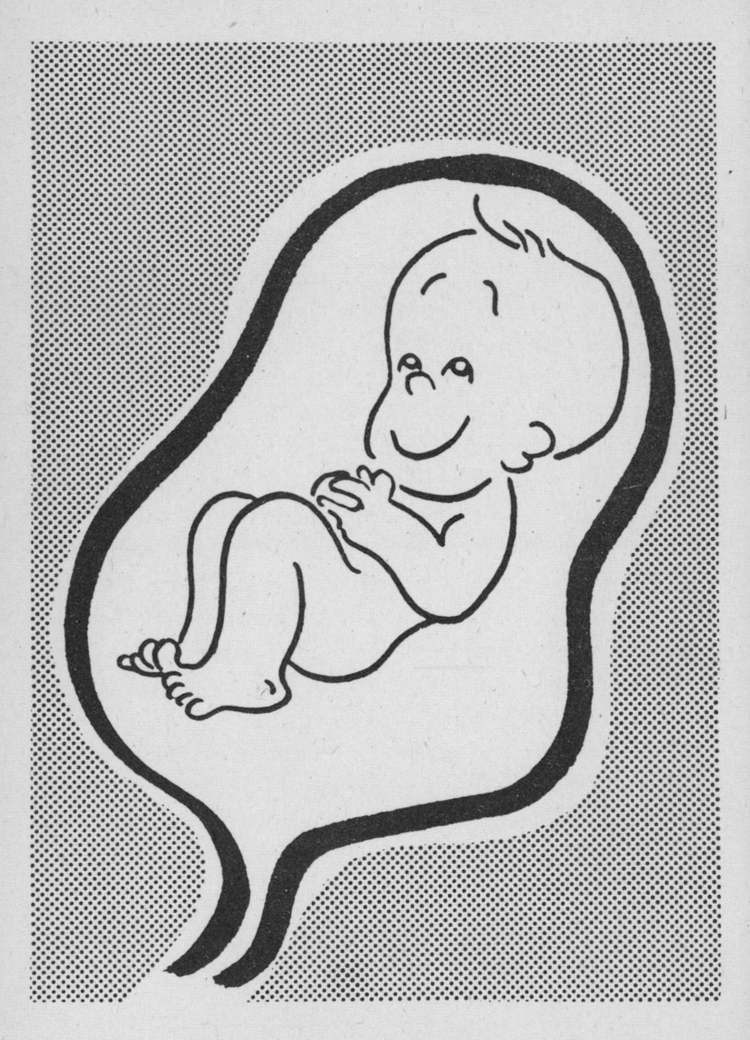

Die Mami hat angefangen, eine Unmenge Bücher über mich zu lesen. Eigentlich ein komischer Gedanke. Ich halte mich nicht für etwas Außergewöhnliches, und trotzdem sind anscheinend dicke Bücher in allen erdenklichen Sprachen über mich geschrieben worden. Ich weiß das, weil die Mami dem Papi sonderbare Dinge erzählt, die sie gelesen hat. Hin und wieder liest sie ihm auch was vor, und obwohl den Papi das, was sie vorliest, interessieren müßte, hört er nicht immer richtig zu. Vor kurzem hat die Mami gesagt, in einem ihrer Bücher stehe der Satz: »Der Prozeß der Zellteilung wird auch Zellspaltung genannt, und noch während die Eizelle durch den Eileiter wandert, spaltet sie sich anfangs in zwei, dann in vier und schließlich in acht Teile.«

Eine phantastische Art, sich fortzupflanzen, findest du nicht? hat die Mami gefragt.

Ja, hat der Papi gesagt, ich habe immer geglaubt, daß nur Atome sich so spalten lassen, aber du weißt ja hoffentlich, was du tust.

Darf ich überhaupt hier sein?

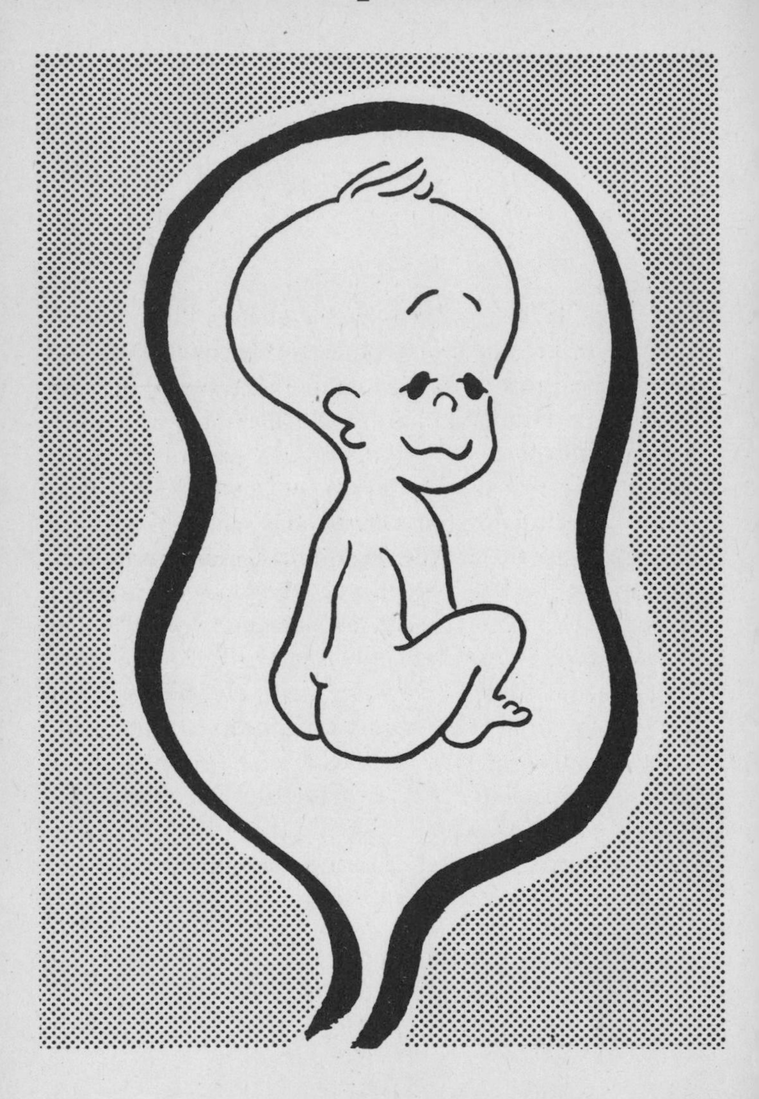

Die Mami ist doch wieder zu dieser Hebamme gegangen! Ich habe mich versteckt und ihr den Rücken gekehrt, damit die blöde Hebamme nicht merkt, daß ich auch mitgekommen bin. Zum Glück sprachen die zwei hauptsächlich von Atemübungen, mit denen die Mami jetzt anfangen muß, denn wenn sie diesen Teil der Prozedur beherrschen lernt, wird ihr das sehr nützen. Sagt die Hebamme. Sie muß Brustatmung, Bauchatmung und Hecheln üben; die Hebamme hat ihr gezeigt, wie sie es machen muß. Die Hechelei erscheint mir reichlich irre. Die Mami muß sich mit angezogenen Knien auf den Rücken legen und hecheln wie ein Hund, der zu schnell hinter Nachbars Katze hergejagt ist. Sagt die Hebamme. Dann hat die Mami gehechelt und dieses Hecheln hatte eine merkwürdige Wirkung auf mich: Mir wurde beklommen, und ich wollte raus. Auf dem Heimweg habe ich mich dann gewundert, daß die Mami alles tut, was ihr so ulkige Leute sagen.

Mmh . . ., lutschen macht Spaß!

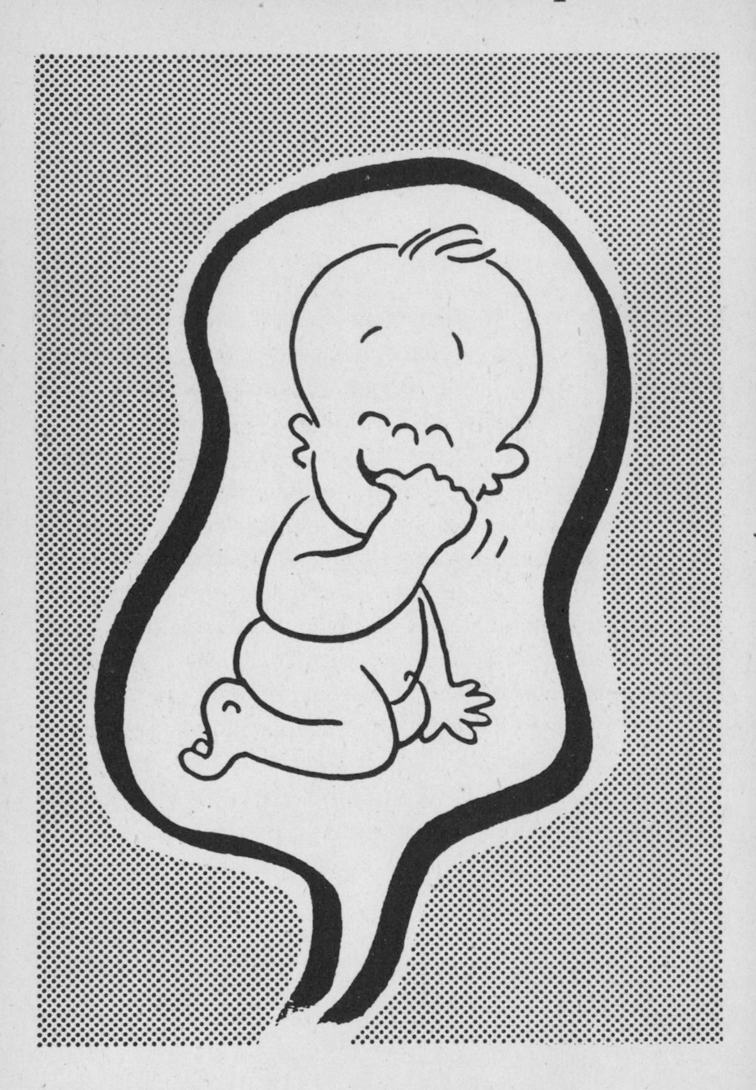

Die Mutter von meiner Mami, meinc Großmutter, hat heute darüber gesprochen, wie sonderbar doch die Vorstellung ist, daß ich im Bauch meiner Mami liege und eben jetzt an den Fingern lutsche. An den Fingern lutschen? Auf den Gedanken wäre ich nie gekommen. Ich lag nur so da und dachte an nichts Besonderes. Aber seit die Mutter von der Mami, meine Großmutter, das vom Fingerlutschen gesagt hat, na ja, da habe ich es mal versucht, nur um festzustellen, ob ich's kann. Aber ich kam nicht damit zurecht, bis ich meinen Daumen erwischte. Mit dem ging es bestens. So ein Daumen ist wie gemacht zum Lutschen. Die Mutter von der Mami, meine Großmutter, hat gesagt, manche Kinder im Schoß der Mutter lutschen so viel, daß sie eine Hornhaut am Daumen kriegen. Ich habe genau hingeschaut, ich habe noch keine Hornhaut. Vermutlich sollte ich öfter lutschen. Aber die Mami scheint kein bißchen stolz darauf zu sein, daß ich an den Fingern lutschen kann.

Ob man sich das angewöhnen sollte?

Ich mache zu viel Hallo!

In letzter Zeit habe ich so herumgewirtschaftet, daß die Mami gemeint hat, ich sei Zwillinge. Ein einzelnes Kind könne nicht derart viel herumwursteln, meint sie. Jedesmal, wenn die Mami von Zwillingen spricht, höre ich den Papi unruhig werden, weil, wie er sagt, Zwillinge ein teurer Spaß sind. Dann sagt die Mami: auf 85 Schwangerschaften kommt nur eine Zwillingsgeburt. Und auf 7225 Schwangerschaften nur einmal Drillinge, und auf 614125 Schwangerschaften nur einmal Vierlinge. Aber dann hat sie erwähnt, sie habe gerade von einer Pygmäenfrau in Afrika gelesen, die hat Siebenlinge zur Welt gebracht. Wenn sie so was erzählt, klingt sie recht ängstlich. Aber der Papi hört gar nicht richtig hin bei so was, und ernst nehmen tut er es erst recht nicht.

Eine Pygmäenfrau? Siebenlinge? hat er nur gesagt. Das werden zwangsläufig Zwerge. So einer braucht eine Leiter, wenn er Erdbeeren pflücken will.

Jetzt hat Mami eine Wiege gekauft!

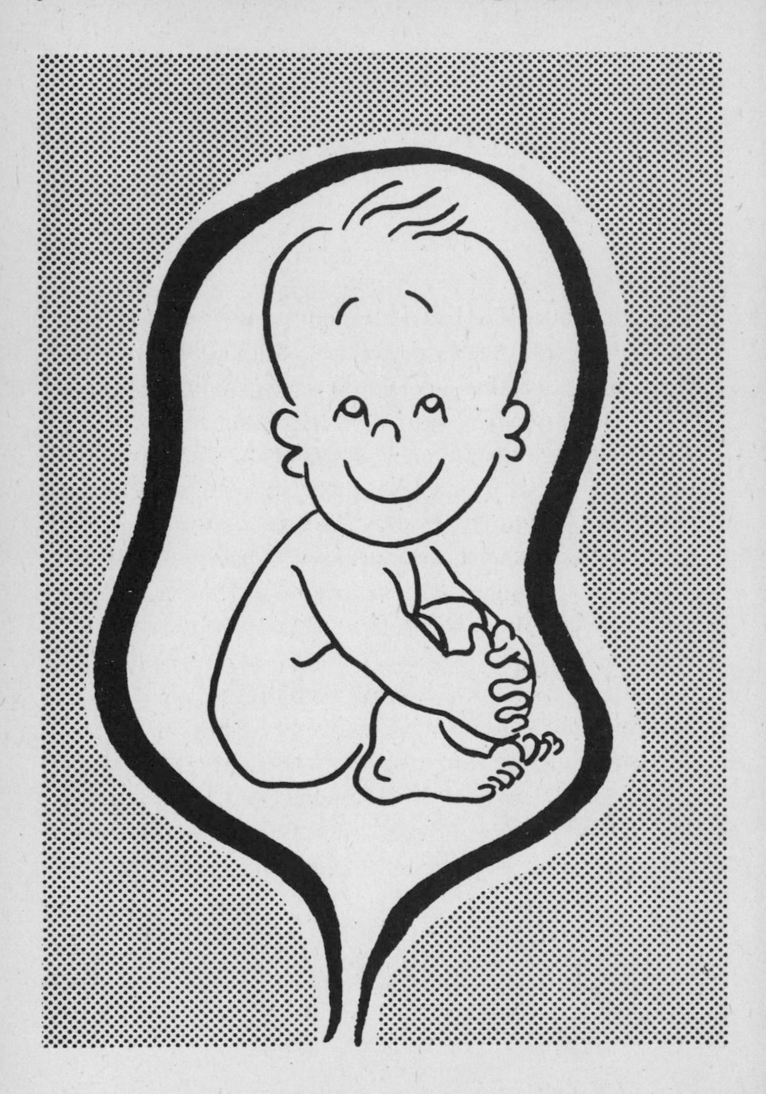

So! Jetzt haben Mami und Papi mir eine Wiege gekauft. Sie haben eine Menge Wiegen besichtigt. Der Papi wollte eine kaufen, die Moseskörbchen heißt, aber die war der Mami zu einfach. Dann haben sie sich eine hölzerne Wiege und ein Tragbettchen angesehen, aber die Mami drängelte immer zu der Ecke mit der stoffbezogenen Wiege mit Falten ringsherum, die die Dame im Laden Rüschen nannte, in Pastellrosa, mit elegantem Spitzenbesatz, schwer fallend, und einem Baldachin aus rosa getupftem Musselin mit einfach tollem, dichtgekraustem weißem Volant. Die Mami war ganz versessen darauf. Die und keine andere sagte sie, von den anderen wollte sie keine. Aber der Papi war nicht ganz überzeugt, weil sie sehr teuer war. Da sagte die Mami, natürlich wäre es billiger, mich in einen Weidenkorb zu legen, wie man sie auf dem Land zum Eiereinsammeln hat. Oder auch einfach auf die Fußmatte, sagte sie. Da gab der Papi auf und kaufte die drapierte Wiege.

Aber wie sie mich da jemals reinkriegen wollen, ist mir schleierhaft.

Jetzt ist Mami im siebten Monat!

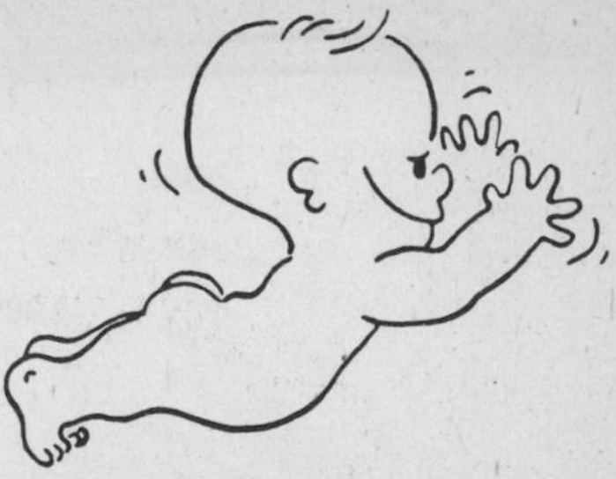

Die Mami ist im siebenten Monat, sagt sie. Sie ist sehr nervös. Ich weiß nicht, wie ich diese letzten beiden Monate überstehen soll, sagt sie. Ich bin auch ein bißchen in Sorge wegen meiner Zukunft. Mir ist nämlich etwas eingefallen. Bei meinem Einzug hat irgend etwas im Mietvertrag gestanden, wonach er nur 9 Monate gültig ist. Die Vorstellung, was alles passieren kann, wenn ich nicht irgendwie eine Verlängerung um weitere neun Monate durchsetze, beunruhigt mich ein bißchen, und wenn ich beunruhigt bin, lutsche ich besonders stark am Daumen. Das alles setzt mir so zu, daß mir immer mehr Haare auf dem Kopf wachsen.

Die Mami kann langes Stehen nicht vertragen. Im Autobus stehen nicht gerade viele Leute auf, um uns ihren Platz anzubieten. Die Mami meint, sie sieht noch nicht schwanger genug aus. Aber wenn sie nach einem Sitzplatz sucht, helfe ich ein bißchen nach. Ich habe nämlich herausgefunden, daß sie sich vorn mehr vorwölbt, wenn ich die Beine an die Wohnungswand stemme, und dann springt meistens jemand auf und sagt: Wollen Sie sich nicht lieber setzen?

So groß! Schon 40 Zentimeter!

Da kann ich nur lachen! Die Dame, die sich HEBAMME nennt, habe ich ordentlich reingelegt! Die Mami und ich waren wieder mal bei ihr. Sie ist fürchterlich gescheit, und die Mami hat großen Respekt vor ihr. Was sie auch sagt, die Mami nimmt es wörtlich. ICH zählte bisher für die Hebamme überhaupt nicht. Sie hat mich immer nur als Fötus bezeichnet, jetzt hat sie wenigstens angefangen, von mir als einem Kind zu sprechen. Das hört sich schon etwas besser an, wie? Sie hat behauptet, daß sie jetzt, wo ich bereits über 40 cm lang bin, nur ihre Hand auf Mamis Bauch zu legen braucht, dann fühlt sie, wie ich liege, welche Körperteile von mir oben und welche unten sind; aber gleichzeitig sagt sie, daß so ein Abtasten große Erfahrung erfordert, weil das Kind seine Lage immer wieder ändert. Sagt sie. Und mit sehr erfahrener Miene hat sie dann die Hände auf Mamis Bauch gelegt und ihn abgetastet. Hier ist der Kopf, hat sie gesagt. Da habe ich mich blitzschnell herumgeworfen und ihr das genaue Gegenteil entgegengestreckt.

Mami wird immer dicker

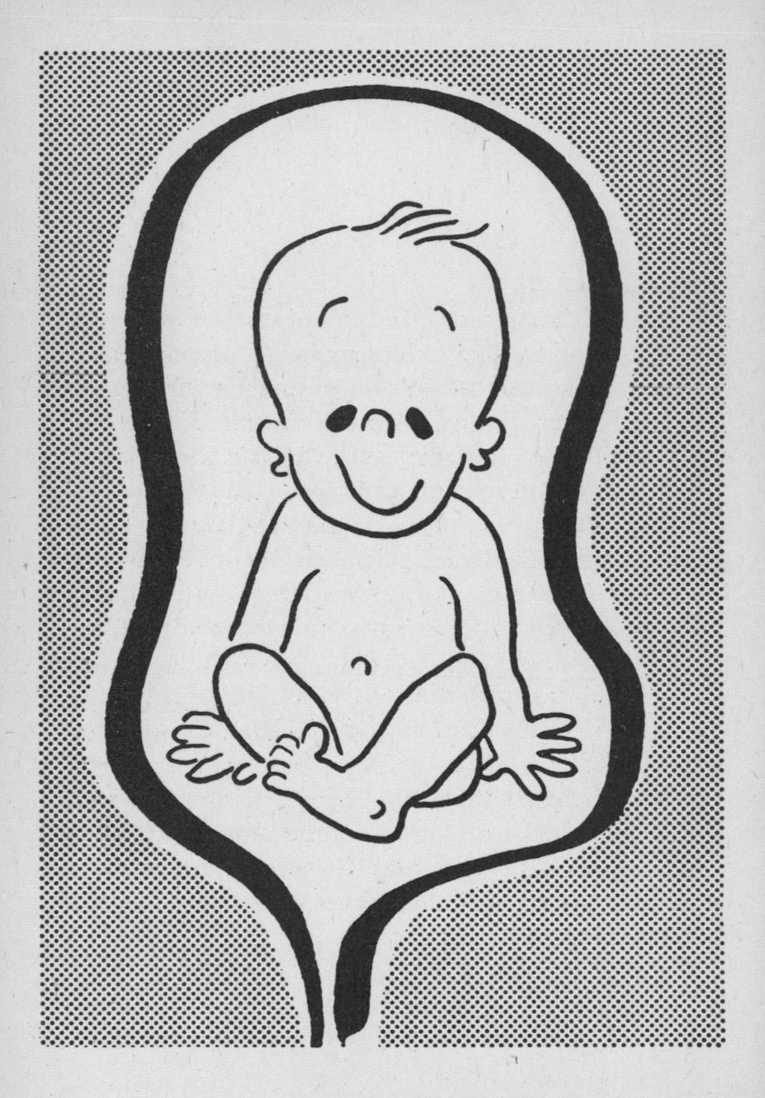

Wenn die Mami sich auf einen Stuhl setzt, kann sie nicht mehr ordentlich sitzen. Der Papi hat es schon öfters erwähnt. Er sagt, daß sie mit weit gespreizten Beinen und vorgestrecktem Bauch dasitzt wie ein fetter Pferdehändler, der sich am Stammtisch flegelt und auf sein Gläschen wartet. Die Mami verteidigt sich und sagt, daß das die einzige Sitzart ist, bei der auch für mich Platz ist. Aufstehen kann die Mami auch nicht mehr. Wenn sie sich in einem tiefen, weichen Armsessel niedergelassen hat, ist es eine Riesensache, wenn sie wieder in die Höhe will, weil sie viel zu schwer ist, und ihren Bauch nicht hochwuchten kann. Der Papi lacht dann immer und sagt, wenn du aufstehen willst, wirkst du so graziös wie ein sudanesisches Nashorn, das ein Luftschiff verschluckt hat und dann rücklings in ein Wasserloch gerutscht ist und nun verzweifelt versucht, wieder auf die Beine zu kommen. Aber er streckt ihr trotzdem eine helfende Hand hin, und dann kommt sie hoch und versucht, ihn zu packen und ihm eine Ohrfeige zu geben!

Und dann lachen wir – alle drei.

Ihr solltet Mami mal im Umstandskleid sehen!

Jetzt hat sich der Papi doch glücklich wieder eine Ohrfeige eingehandelt. Aber er denkt ja auch nie nach, ehe er den Mund aufmacht. Die Mami ist in letzter Zeit ziemlich gereizt und versteht manchmal keinen Spaß mehr. Sie läuft in etwas herum, was Umstandskleidung heißt, lauter Kittel oder Trägerröcke. Und was immer sie anzieht, sie paßt nicht mehr recht hinein, behauptet sie. Es ist zu eng und unbequem und sieht vollkommen idiotisch aus, behauptet sie. Jedesmal, wenn sie sich im Spiegel sieht, erschrickt sie über ihren dicken Bauch und weint beinahe. Ich mach mich dann ihr zuliebe so klein wie möglich, aber es nützt nichts. Und gerade an dem bewußten Abend mußte sie sich fein machen und so schön wie möglich aussehen. Die beiden waren zu einem Essen eingeladen, zu dem der Papi etwas anziehen mußte, was Smoking heißt, und sie wollte nicht mitgehen.

Ich habe einfach nichts anzuziehen, sagte sie. Und der Papi stand da und hat einen Augenblick nachgedacht, und ist dann herausgeplatzt:

Wie wär's mit dem Zelt?

Papi macht Spaß!

Jetzt wird es aufregend. Die Mami hat vielerlei Sachen eingekauft, und alle sind für mich. Gestern hat sie einen speziellen Tisch gekauft, auf dem man ein Baby waschen und wickeln kann, und heute sind die Mami und ich Milchflaschen kaufen gegangen.

Als sie heimkam, füllte sie eine von den Flaschen mit warmer Milch und wollte, daß der Papi mal kostet, aber er hat abgelehnt. Dafür hätte ICH gern gekostet. Nur zum Spaß. Der Papi hat gesagt, daß seiner Meinung nach die Milchflasche nicht annähernd eine so schöne Form hat wie die Milchquelle von der Mami. Unsinn, hat die Mami gesagt.

Die Mutter von der Mami, meine Großmutter, fand den Wickeltisch zu hoch, und da hat der Papi etwas gesagt, daß ich vor Schreck die Luft anhielt.

Ein hoher Wickeltisch, liebe Schwiegermama, ist genau das Richtige. Wenn wir das Baby drauflegen und im Nebenzimmer fernsehen, hören wir besser, wenn es herunterfällt!

Papi nimmt meine Oma auf den Arm!

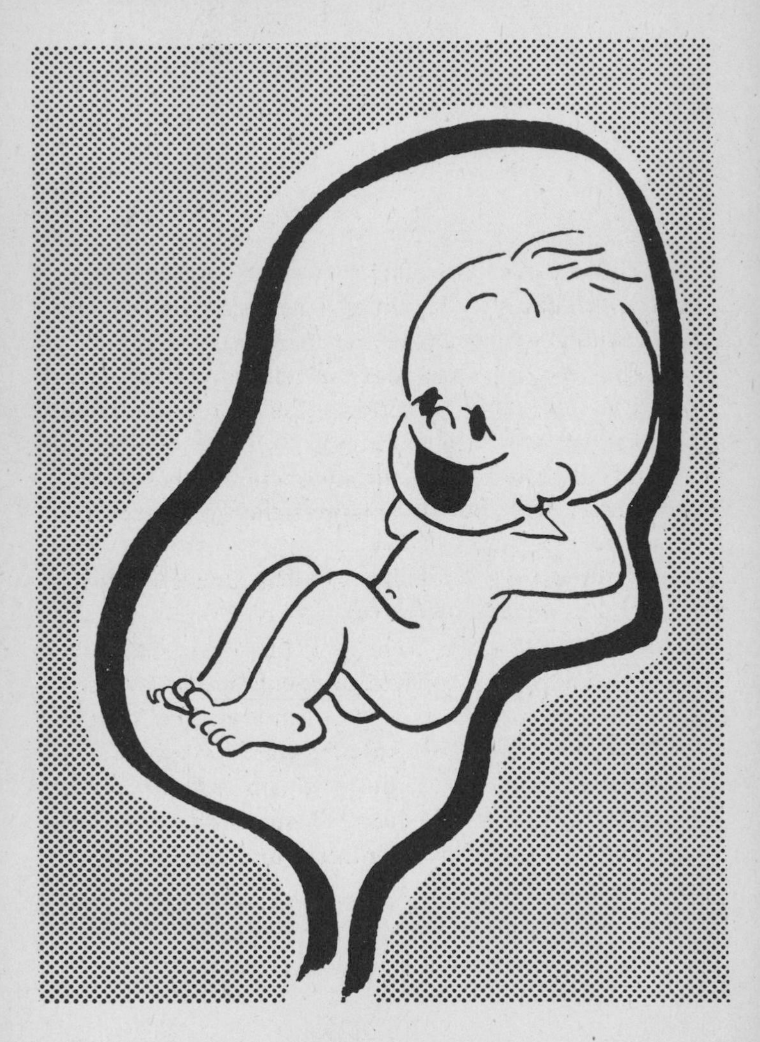

Die Mami und ich besuchen jetzt einen Säuglingspflegekurs. Ich weiß nicht, worum es dabei geht, weil ich den Unterricht meist verschlafe, statt zuzuhören. Eigentlich wollte die Mami, daß auch der Papi teilnimmt, aber er hat gesagt, er weiß alles Notwendige über Kinder, und ihm kann keiner mehr was beibringen.

Ein Kind braucht man nur am oberen Ende entsprechend feucht, am unteren entsprechend trocken zu halten, sagt er.

Und Windelnwechseln braucht man nicht zu lernen, davon hält er ohnehin nicht viel, sagt er.

Drüben in Amerika machen die Kinder die Windeln überhaupt nicht naß. Dort drüben geben die Mütter den Kindern trockenes Milchpulver und brauchen sie nur paarmal die Woche mit dem Staubsauger zu säubern.

Solche Sachen erzählt der Papi am liebsten dann, wenn die Mutter von der Mami, meine Großmutter, zuhört. Die ist nämlich dann entsetzt, und der Papi lacht. Ich habe einen ulkigen Papi.

Eines Tages würde ich ihn ganz gern kennenlernen.

Jetzt ist Mami im achten Monat!

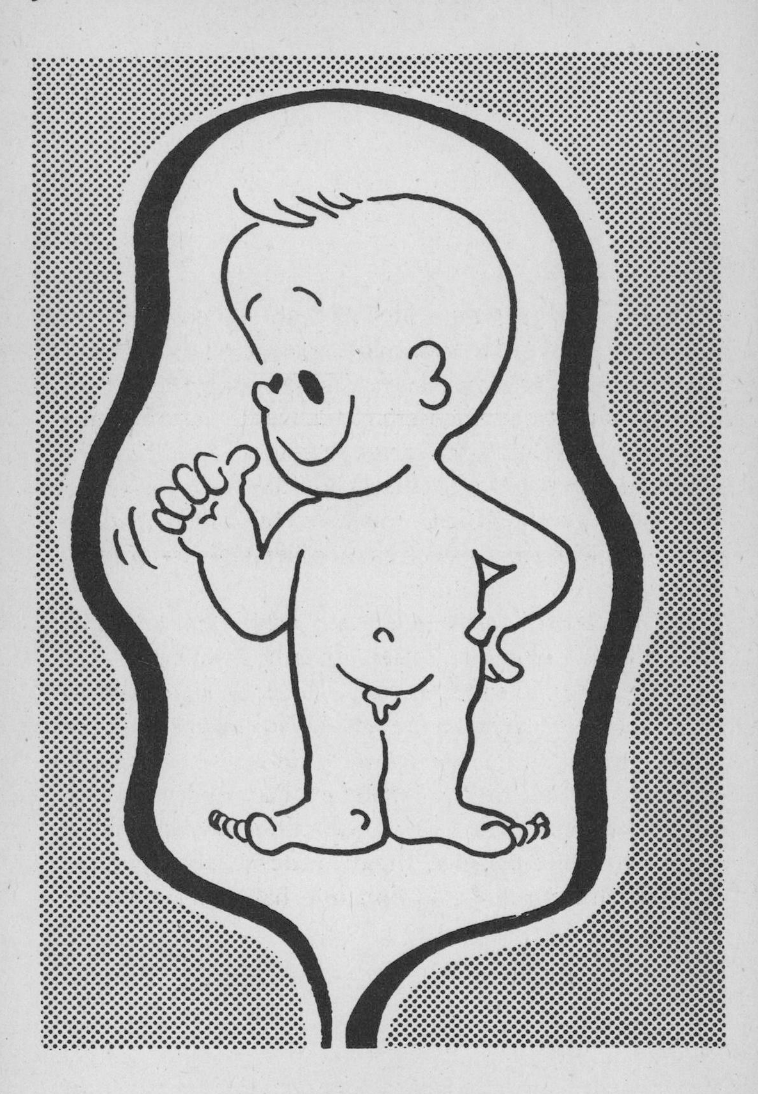

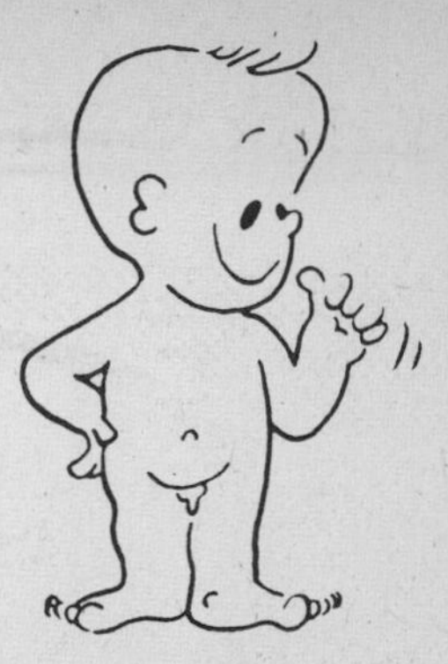

Die Mami ist jetzt im achten Monat, sagt sie, wenn jemand fragt. Und fragen tun die Leute immer. Alle wollen wissen, wann es denn soweit ist. Mir wäre lieber, sie sprächen von etwas anderem. Ich werde jedesmal nervös und bekomme Zuckungen, wenn das zur Sprache kommt, weil ich das komische Gefühl nicht loswerde: Was auch geschieht, kann mit mir zu tun haben. Und das will ich nicht. Ich sage das ein für allemal: Mit mir brauchen die nicht zu rechnen.

Ich muß auch auf mein Gewicht achten. Sie, die Hebamme, die oberschlauc, sagt, ich habe in den letzten 6 Wochen vier Pfund zugenommen. Die Mami nimmt auch zu, und die Hebamme sagt, sie soll mal ein bißchen Kalorien zählen. Es sieht so aus, als ob ich das auch müßte, weil ich sonst demnächst keinen Platz mehr habe. Ich werde mit dem Daumenlutschen aufhören. Vielleicht ist der voller Kalorien, und ich nehme deshalb dauernd zu? Wenn ich ein paar Pfund abnähme, hätte ich auch mehr Platz.

Schade, Mami ist schlecht gelaunt!

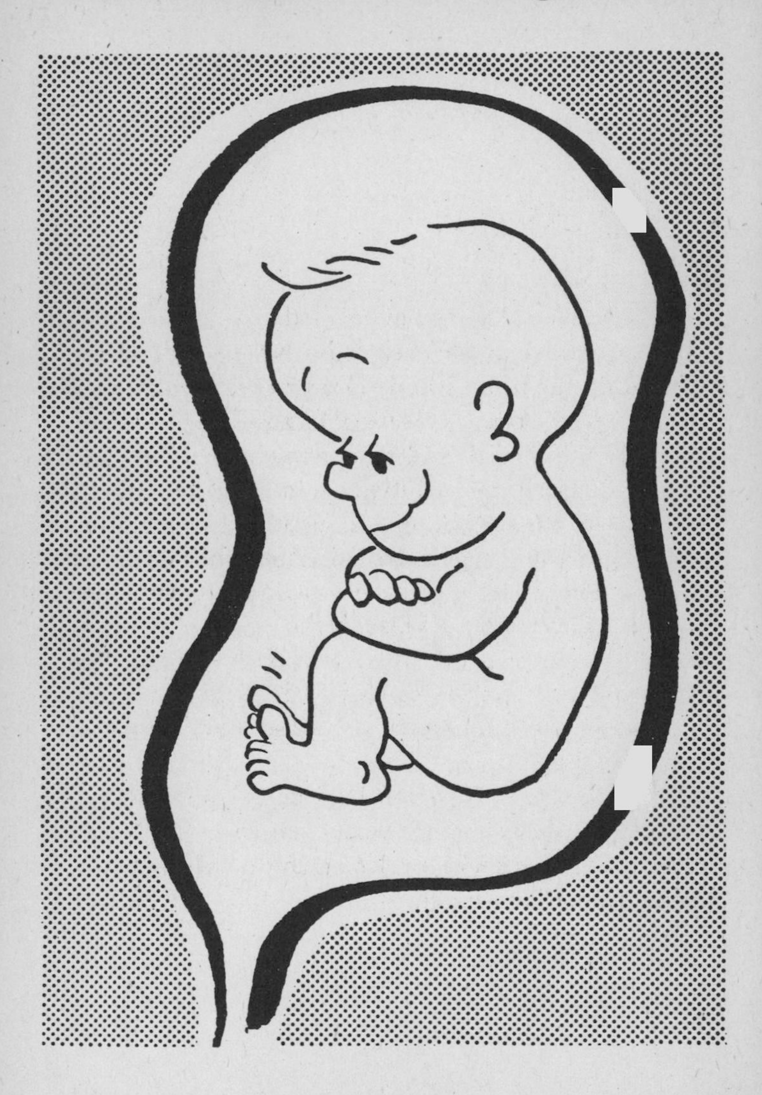

Manchmal kommt mir doch der Gedanke, daß ich mich nach was Besserem umsehen sollte. Nach einer anderen Wohnung, meine ich. Mit der Mami ist es einfach nicht mehr zum Aushalten. Was die alles zu klagen hat! Zum Beispiel kann sie ihre Schuhe nicht mehr anziehen, und wenn es keiner sieht, schuffelt sie in Papis großen Latschen durch die Wohnung und gerät bei der kleinsten Anstrengung außer Atem. Beim Herumschuffeln pustet und schnauft sie. Der Papi hat gesagt, jetzt eignet sie sich bald als Dampflok für die Eisenbahn.

Aber ich glaube, leid tut sie ihm doch, denn er legt manchmal die Arme um sie, und sie gibt ihm einen Kuß, und er sagt, egal, wie dick du wirst, ich liebe jedes Gramm von dir und ihm.

Ihr, verbessert die Mami. Und dann sagt der Papi, wenn es ein Mädchen ist, versuchen wir es nochmal. Vielen Dank, sagt die Mami. Ich möchte nicht gleich wieder zur Dampflok werden.

Jetzt ist Mami im neunten Monat!

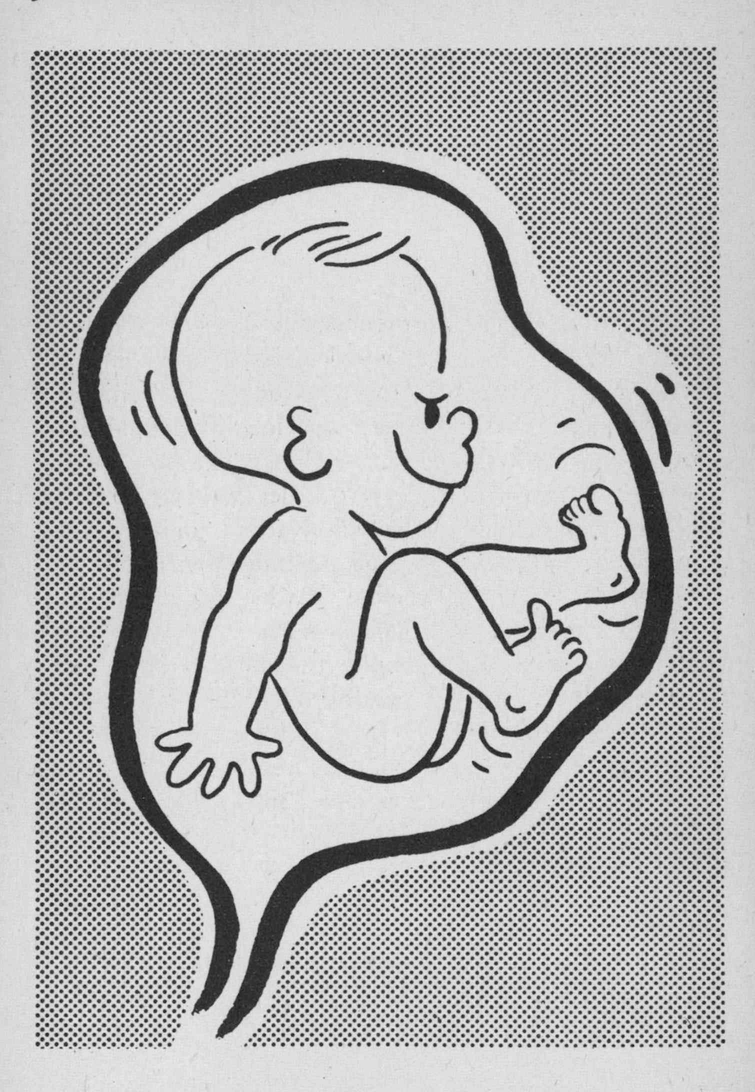

Die Mami ist jetzt im neunten Monat, sagt sie. Ich wiege sechs Billionen mal soviel wie damals, als ich in Mamis Bauch einzog. Mamis Doktor sagt, wenn ich für den Rest meines Lebens so weiterwachse, wie ich während des vergangenen Monats gewachsen bin, wiege ich an meinem 10. Geburtstag über 635 Kilo. Der Papi sagt, daß ich aussehen werde wie ein Hefekloß, aber Mamis Doktor sagt, das regelt sich von ganz allein, und während der letzten Woche vor der Geburt wachse ich überhaupt nicht mehr, sagt er. Mir kann das nur recht sein, denn hier drin wird es eng und enger. Ich bin jetzt so stark, daß wenn die Mami mit einem Wollknäuel oder einem Stopfkorb auf dem Schoß dasitzt, ich den ganzen Kram auf den Boden stoßen kann. Und wenn die Mami hundertmal droht, sie erzählt es dem Papi, sobald er heimkommt!

Ich will aber nicht geboren werden!

Ich soll geboren werden. Die beiden sprechen von nichts anderem mehr. Wie das sein wird, mich zur Welt zu bringen, weiß ich nicht, aber Mamis Doktor meint, alles wird glattgehen. Vorläufig können wir nichts anderes tun, als auf die Wehen warten, sagt er. Außerdem sagt er, daß ich einen Schock kriegen werde, wenn ich in eine Temperatur hinausmuß, die 17 Grad niedriger ist als die Temperatur in meiner kleinen Wohnung; daß ich Angstzustände bekommen werde, wenn ich das erste Mal versuche zu atmen, und daß mein erster Reflexschrei die Luftwege öffnen hilft. Sagt er. Und dann sagt er noch, daß ich anfangs noch ohne Tränen weinen muß, daß ich auch nicht besonders gut höre, weil meine Ohren voller Schleim sind. Zum Schluß hat er die Mami noch gewarnt, sie solle ja nicht meinen, daß ich schiele, selbst wenn meine Augen in den ersten paar Tagen nach der Geburt hilflos herumrollen.

Na danke, das Gehörte reicht mir! Vergessen wir das Ganze. Ich habe nicht vor, geboren zu werden. Ich wohne hier, ich bin hier entstanden, ich bin hier herangewachsen, ich BLEIBE HIER.

Und damit basta!

Ich bleibe, wo ich bin!

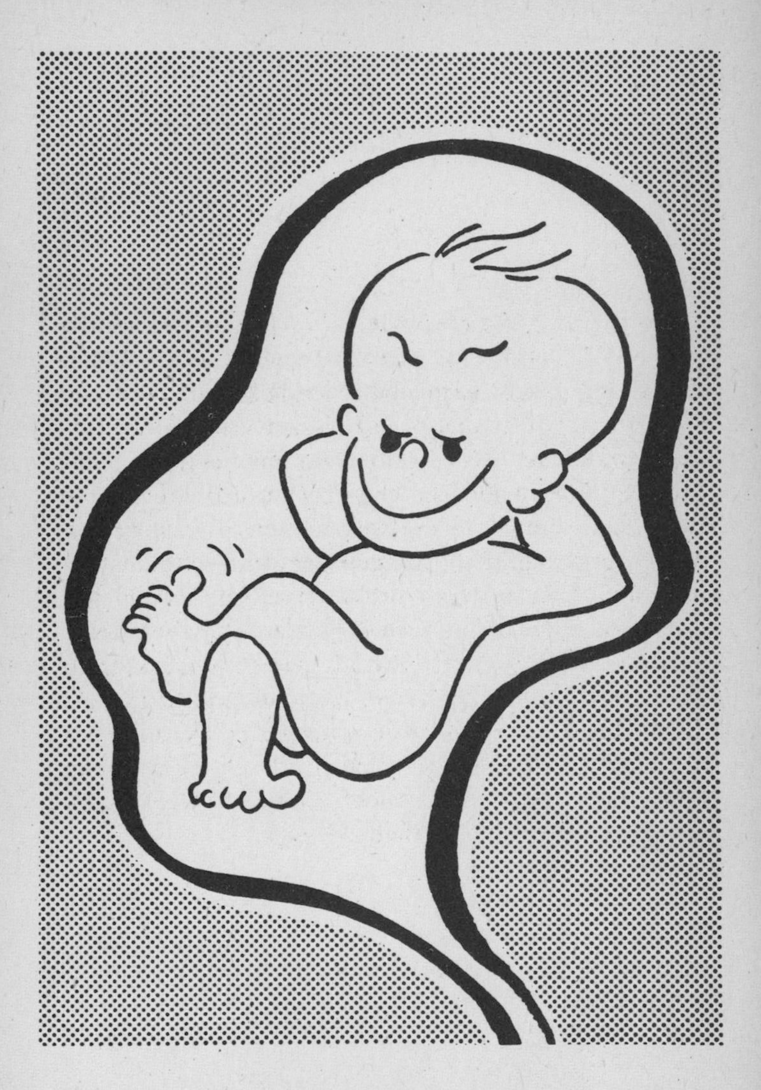

Die Mami und ich haben wieder die Dame besucht, die HEBAMME heißt. Jetzt ist es sonnenklar, daß sie nicht zu mir hält, den Verdacht hatte ich ja schon lange. Die will nur eins: mich irgendwie zu fassen kriegen; aber solange ich bei der Mami bleibe, wird ihr das nicht gelingen. Da kann sie noch so schlaue Pläne ausklügeln. Die Geburt, von der so viel die Rede ist, zerfällt in zwei Phasen: die erste heißt Eröffnungsphase, die zweite Austreibungsphase. Schon das Wort klingt reichlich brutal, finde ich, und ich lege keinen Wert darauf, dabeizusein, wenn es soweit ist. Ich habe noch eine dritte Phase dazu erfunden, die ich einleiten werde, wenn die mir krumme Dinger drehen. Ich nenne sie Widerstandsphase. Wenn die mich erwischen wollen, versteck ich mich. Dann können die Kuckuck! Kuckuck! schreien, soviel sie wollen. Mich kriegen sie nicht zu sehen.

Papis Zustand macht uns Sorgen!

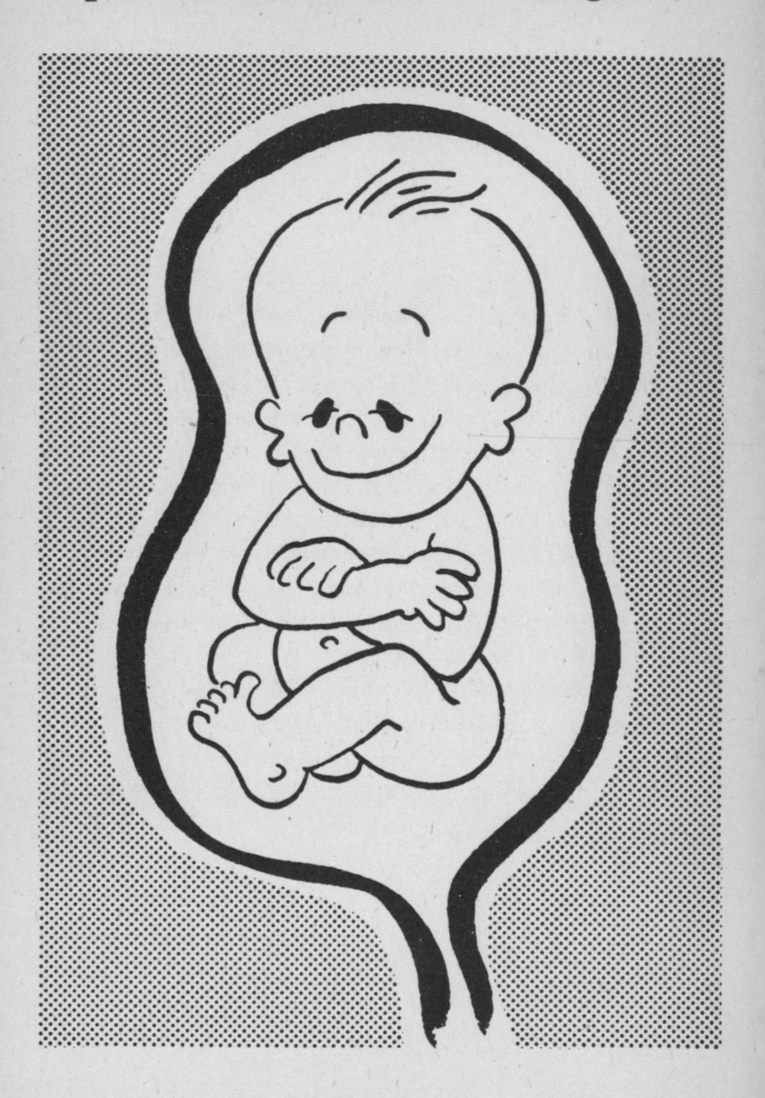

Der Papi ist sehr nervös, ob die Mami und er und ich wohl rechtzeitig in die Klinik kommen werden. Die Hebamme hat gesagt, das sei eine Frage der Intuition. Sie hat gesagt, sobald die Wehen in regelmäßigen Abständen von 5 bis 10 Minuten wiederkehren, wäre es vernünftig, loszufahren. Die Mami hat gemeint, jetzt dauert es nicht mehr lange. Der Papi hat schon Zustände. Er sitzt verkrampft neben der Tür und macht nicht einmal mehr Witze. Die Mami redet ihm zu, ruhig und entspannt zu sein. Außerdem sagt sie, daß er der einzige Mensch in ihrem Bekanntenkreis ist, der zwei Zigaretten gleichzeitig rauchen kann, während die dritte im Aschenbecher verqualmt. Sie fordert ihn so oft auf, er soll sich beruhigen, daß ich glaube, sie macht sich Sorgen um ihn. Du hast gut reden, murrt er, du wirst ja auch nicht zum ersten Mal Vater.

Wie soll das bloß enden?

Allmählich werde auch ich ein bißchen nervös. Die Mami fängt an, sich des öfteren innerlich zusammenzuziehen. Eigentlich ist es gar nicht mehr recht gemütlich hier. Die Mami hat schon Verschiedenes eingepackt, was sie ins Entbindungsheim mitnehmen will, und der Papi wartet angstvoll – jeden Moment bereit, hinauszustürzen und den Wagen anzulassen. Eben jetzt hat die Mami eine ganze Weile mit weit gespreizten Beinen dagestanden und sich am Tisch festgehalten und dann gesagt: Wir sollten vielleicht doch lieber fahren. Der Papi konnte die Wagenschlüssel nirgends finden und war ganz durchgedreht, aber schließlich hat er sie dann doch gefunden, ist die Treppe hinuntergerast, um den Wagen aus der Garage zu fahren. Dann kam er wieder hereingestürzt, um die Sachen zu holen, die die Mami mitnehmen muß und hat sie in den Kofferraum geschmissen. Keine Sekunde später ist er schon wie ein geölter Blitz die Straße hinuntergefahren.

So warte doch auf uns! hat die Mami ihm nachgerufen. Zum Glück hat eine Nachbarin ihn aufgehalten, damit meine Mami und ich mitfahren konnten. Sonst hätte ja die Entbindung ohne uns angefangen.

Ich habe die Hebamme reingelegt!

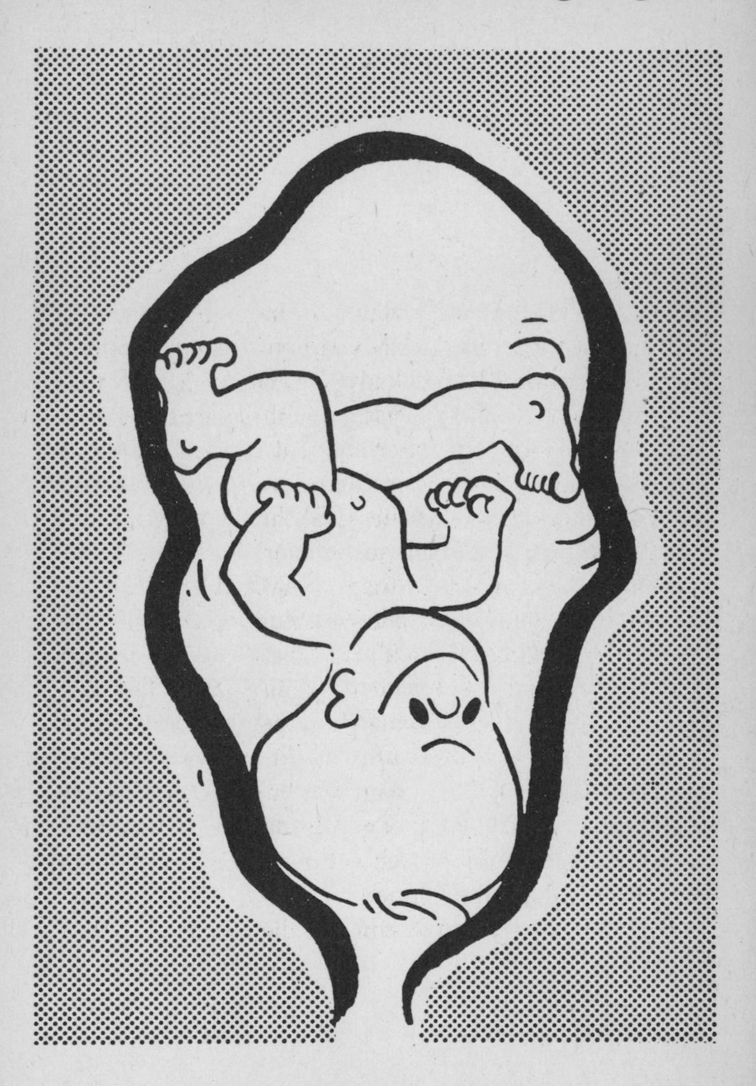

Die Mami und ich sind jetzt im Entbindungsheim eingetroffen, und man hat der Mami den Puls gefühlt und Temperatur und Blutdruck und was weiß ich noch alles gemessen. Ich war keinen Moment überrascht, die Stimme der Hebamme zu hören. Sie hat sich ziemlich blamiert, weil sie was über den Geburtsweg quasselte, aber plötzlich merkte ich, daß die versuchen wollten, zu mir reinzukommen und mich rauszujagen. Da meine kleine Wohnung nur den einen Ausgang hat, habe ich das einzig Mögliche getan: Ich habe den Zugang verstellt. Ich habe mich herumgeworfen und blockiere jetzt den gesamten Ausgang mit meinem großen Kopf! Der Geburtshelfer hat an der Mami ihrem Bauch mit einem Stethoskop gehorcht und draufgedrückt, um festzustellen, ob ich auch richtig liege, dann hat er gesagt, es könnte nicht besser sein! Wenn der wüßte, daß ich die alle reingelegt habe, indem ich mich auf den Kopf stelle, damit sie mich nicht greifen können.

Ich bin nicht ganz so dumm, wie die glauben!

Hätte ich mich bloß nicht herumgedreht!

Allmählich wird mir ganz schwindlig. Meine Lage ist äußerst unbequem, aber was tut man nicht alles, um bei seiner einzigen Mami zu bleiben.

Die Mami fängt an, sehr stark zu pressen, und ich wollte, sie ließe das bleiben, weil mein Kopf das nicht aushält. In den Wehenpausen kann ich nicht genügend Kräfte sammeln, um ihr ordentlich Widerstand zu leisten. Die Mami hat einen Apparat, aus dem kann sie ein paar tiefe Atemzüge tun, wenn eine neue Wehe anfängt. Was sie da einatmet, heißt zwar Lachgas, aber zum Lachen kann ich an dem ganzen Tumult wirklich nichts finden. Ich kann nicht mehr klar denken, und für mich fühlt es sich an, als hätte ich einen Trichter überm Kopf, durch den die Mami mich drücken will. Hör doch um Gottes willen auf, Mami, du kannst dir doch denken, daß das nichts bringt! Hätte ich mich doch bloß nicht herumgedreht, dann könnte ich mich jetzt mit gespreizten Beinen gegen den Ausgang stemmen!

Sie geben mir keine Chance!

Nun hört mal zu, ihr seid wohl alle verrückt geworden, wie? Diese Geschichte ist doch Wahnsinn. Die Mami preßt und preßt, und dabei spannt sie die Bauchmuskeln an, so daß ich mich nicht anklammern kann. Die Mami kann sich an solchen Griffen an ihrem Bett festhalten, aber ich habe gar nichts. Ich will hierbleiben, im Bauch von der Mami, wo ich immer gewesen bin; ich will nirgends anders hin. Autsch, du meine Güte, mein armer Kopf, wenn ihr mich nicht bald in Ruhe laßt, schreie ich! Gebt doch acht auf meinen Kopf, das geht doch einfach nicht! Man kann ja auch kein Hemd ausziehen, indem man den Kopf durchs Knopfloch steckt! Autsch, mein Hals, autsch, meine Stirn, autsch, meine Nase, autsch, mein Mund, autsch, mein Kinn, es gehört doch polizeilich verboten, Unschuldige so zu behandeln, ich werde mich bei meinem Landtagsabgeordneten beklagen, ich werde mich bei der Kommission für Menschenrechte beklagen, ich werde mich – he, mein Kopf ist durchgerutscht, mein Kopf ist geboren. Puh, war das vielleicht ein Ding –

Was macht Ihr denn da?

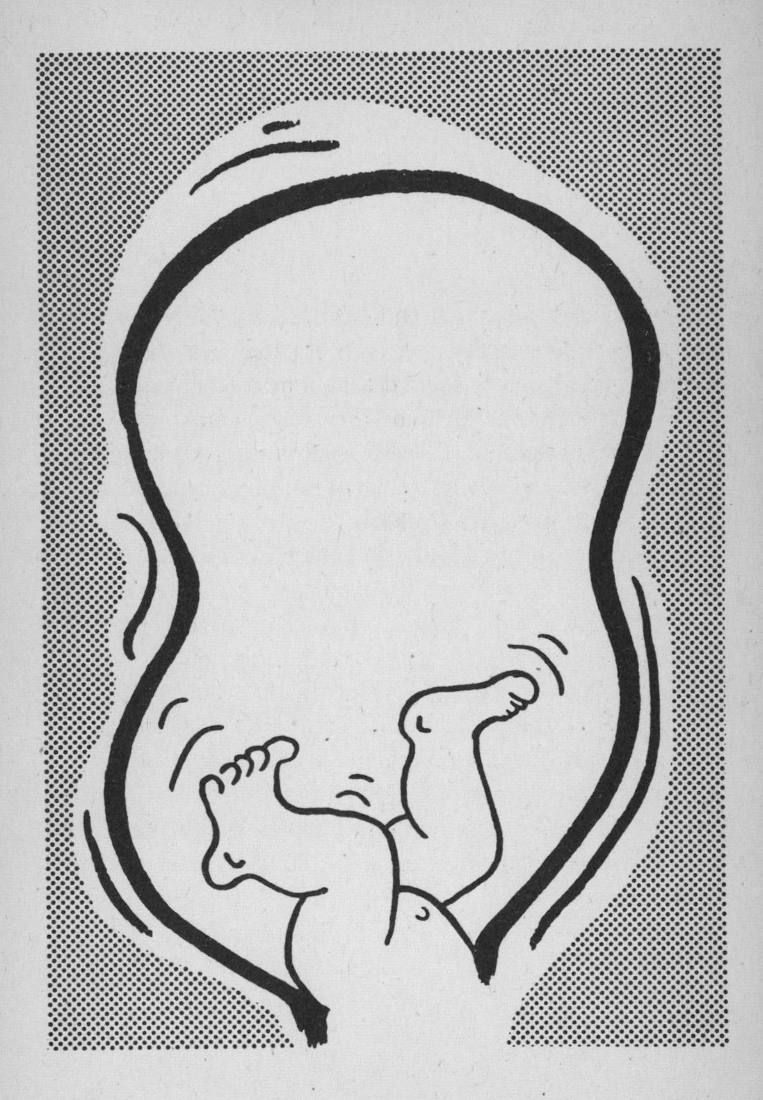

Laßt mich los. Laßt meinen Kopf los, ich will wieder zurück, laßt mich wieder rein ... nein, laßt mich raus, laßt mich weg von hier. So gebt doch auf meine Schulter acht, gebt doch acht auf meinen Körper, gebt doch acht auf MICH! Als unabhängiger Mensch verlange ich Gehör, sonst schreie ich ...

Wääääh, Wääääh, Wäääh ...

Hallo, Mami ... Hallo, Papi ... hallo, allerseits ... da bin ich!

60024/DM 4,80

Meine vergnüglichen Abenteuer auf der neunmonatigen Reise bis zur Geburt – für Eltern und solche, die es werden wollen.

60039/DM 4,80

Auch in ›Hallo Mama – Hallo Papa‹ beweist der dänische Humorist wieder einmal, daß Kinder die beste Erfindung seit Adam und Eva sind.

60059/DM 4,80

Memoiren eines Fünfjährigen. Die lieben Kinder und die ständigen Überraschungen, die man mit ihnen erlebt.

60044/DM 5,80

Die Kunst, ein guter Patient zu sein. Bei Willy Breinholst können Sie sich Trost, Mitgefühl und Zuspruch holen. Seine herrlichen, hypochondrischen, selbst erlebten Patientengeschichten sind einfach zum Lachen. Und wenn es beim Lachen nicht weh tut, dann denken Sie daran, daß richtiges Lachen gut für die Gesundheit ist! Halten Sie es mit dem alten Sprichwort: Ein Spaß, ein heit'res Wort – hält den Doktor fort!